Você é o ponto fraco de Deus

Você é o ponto fraco de Deus

E outras mentiras da teologia do coaching

YAGO MARTINS
PEDRO PAMPLONA
GUILHERME NUNES

Copyright © 2023 por Yago Martins, Pedro Pamplona e Guilherme Nunes
Publicado com permissão do Instituto Schaeffer de Teologia e Cultura Ltda., Fortaleza, Ceará.

Os textos das referências bíblicas foram extraídos da *Nova Almeida Atualizada* (NAA), da Sociedade Bíblica do Brasil, salvo as seguintes indicações: *Almeida Revista e Corrigida* (ARC), da Sociedade Bíblica do Brasil; *Almeida Século 21* (A21), da Editora Vida Nova; e *Nova Versão Internacional* (NVI), da Biblica, Inc.

Todos os direitos reservados e protegidos pela Lei 9.610, de 19/02/1998.

É expressamente proibida a reprodução total ou parcial deste livro, por quaisquer meios (eletrônicos, mecânicos, fotográficos, gravação e outros), sem prévia autorização, por escrito, da editora.

Edição
Daniel Faria

Revisão
Ana Luiza Ferreira

Produção
Felipe Marques

Diagramação e capa
Marina Timm

Ilustração de capa
Guilherme Match

CIP-Brasil. Catalogação na publicação
Sindicato Nacional dos Editores de Livros, RJ

M3247v

    Martins, Yago
    Você é o ponto fraco de Deus : e outras mentiras da teologia do coaching / Yago Martins, Pedro Pamplona, Guilherme Nunes. - 1. ed. - São Paulo : Mundo Cristão, 2023.
    224 p.

    ISBN 978-65-5988-238-0

    1. Igrejas protestantes - Literatura polêmica. 2. Liderança - Aspectos religiosos - Cristianismo. I. Pamplona, Pedro. II. Nunes, Guilherme. III. Título.

23-85116   CDD: 261.0882804
    CDU: 274:005.963.1

Gabriela Faray Ferreira Lopes - Bibliotecária - CRB-7/6643

Categoria: Espiritualidade
1ª edição: setembro de 2023

Publicado no Brasil com todos os direitos reservados por:
Editora Mundo Cristão
Rua Antônio Carlos Tacconi, 69
São Paulo, SP, Brasil
CEP 04810-020
Telefone: (11) 2127-4147
www.mundocristao.com.br

*Ao Dr. Augustus Nicodemus Gomes Lopes,
por inspirar uma nova geração de expositores bíblicos.*

Sumário

Apresentação de Augustus Nicodemus 11
Prefácio de Rômulo A. T. Monteiro 13
Introdução à nova edição 17
Introdução à primeira edição 19

PARTE I – A NOVA TEOLOGIA DA PROSPERIDADE
PEDRO PAMPLONA

1. Jesus e Paulo no octógono da doutrina: 25
   Quando a treta é necessária
2. Genealogia da heresia: 39
   Definindo a teologia do *coaching*
3. O deus carente e limitado da hipergraça: 63
   Os problemas teológicos do antropocentrismo de palco

PARTE II – O CUSTO QUE NÃO ENSINAM A CALCULAR
YAGO MARTINS

4. Tome sua cadeira elétrica e siga-me: 93
   O chamado radical do discipulado
5. Quão belos são os pés com bolhas: 119
   O cristianismo ainda acredita em autoflagelo
   e sacrifício humano

6. Abandonando a família por Jesus: 141
   Os desafios de uma nova casa de fé
7. Deixe seu passado, seu presente e seu futuro: 155
   As desculpas que inventamos

PARTE III – AS VERDADEIRAS RECOMPENSAS DO DISCIPULADO
GUILHERME NUNES

8. O prêmio do discipulado: 171
   Em busca da linguagem apropriada
9. O eterno e o passageiro: 191
   Até o administrador infiel entende mais
   de discipulado do que nós

Conclusão 205
Notas 215
Sobre os autores 221

A coisa mais insensível que podemos fazer é levar pessoas condenadas a pensarem que são salvas.
    Mark Dever e Paul Alexander, *Igreja intencional*

Tragicamente, o inferno estará cheio de pessoas que aprenderam, por meio de pregadores modernos, como ser feliz e alcançar o sucesso.
    Leonard Ravenhill, *Por que tarda o pleno avivamento?*

Apresentação

Sinto-me profundamente honrado pela dedicação desta obra a mim. Sou grato pelo privilégio concedido, algo que só a graça do Senhor Jesus poderia proporcionar.

Esta obra de múltiplos autores trata da aplicação do *coaching* na igreja de Cristo. No universo deste livro, o termo *coaching* é empregado no contexto de desenvolvimento pessoal e profissional. É um processo no qual um mentor, ou *coach* orienta um cliente na definição e conquista de metas pessoais, profissionais ou de vida.

Embora os autores desta obra reconheçam os benefícios dessa estratégia, eles expressam uma desconfiança salutar quanto à sua aplicabilidade e validade na igreja evangélica, especialmente para o desenvolvimento dos crentes em Cristo. Essa apreensão tem se intensificado à medida que ganham popularidade os pregadores que podem ser categorizados como "*coaches* cristãos". Por isso, já na seção inicial, Pedro Pamplona alerta para o perigo de seguir líderes religiosos que disseminam ensinamentos equivocados, associando a teologia do *coaching* à teologia da prosperidade e mostrando como isso pode distorcer nossa compreensão da fé cristã.

Um desses efeitos adversos, como expõe Yago Martins na seção seguinte, é a maneira como tal teoria altera a imagem de Jesus, redirecionando o foco das pessoas para aspectos materiais, em vez de valores espirituais. A partir dos ensinamentos de Paulo, Guilherme Nunes destaca o verdadeiro significado de seguir a Jesus, na seção final da obra. Ele enfatiza a importância de encontrar alegria até mesmo em tempos de adversidade, algo distinto do que os adeptos da teologia do *coaching* costumam pregar. Em suma, ele propõe o discipulado como alternativa.

Tenho várias razões para expressar minha gratidão por ter tido a oportunidade de escrever esta apresentação. Em primeiro lugar, este livro foi escrito por pastores da nova geração, que vivem na era em que o *coaching* ganhou destaque no cenário evangélico. Uma análise rigorosa da teologia do *coaching* feita por pastores da minha geração poderia ser descartada como ultrapassada. Yago, Pedro e Guilherme, no entanto, são pastores desta nova geração e estão em sintonia com os acontecimentos atuais. Sua análise merece atenção.

Em segundo lugar, a qualidade da análise realizada aqui é admirável. É evidente, através da leitura desta obra, que seus autores se dedicaram intensivamente à pesquisa do tema. Em terceiro lugar, a honestidade ao reconhecer o que o *coaching* poderia trazer de positivo para o meio evangélico merece destaque.

Em quarto lugar, a coragem de desafiar uma das tendências de mais rápido crescimento no meio evangélico e questionar as ideias e métodos de figuras públicas extremamente populares nesta geração é notável. Por fim, ressalta-se a proposta de alternativas bíblicas ao *coaching*, referindo-se ao antigo, testado e comprovado método de discipulado que, ao longo dos séculos, formou gerações de crentes preparados e motivados para a obra de Deus.

Por todas essas razões, recomendo esta obra com gratidão, consciente de sua importância e relevância para a nossa geração.

REV. DR. AUGUSTUS NICODEMUS
Pastor na Primeira Igreja Presbiteriana do Recife

Prefácio

Disse Jesus: "Eu lhes asseguro que, a não ser que vocês se convertam e se tornem como crianças, jamais entrarão no Reino dos céus" (Mt 18.3, NVI). A necessidade de uma "postura infante" para o desfrute do Reino de Deus está longe de nos autorizar a igualar o exercício da fé cristã a uma postura ingênua ou a algum tipo de "credulidade despretensiosa". Nas Escrituras, a qualificação "infantil" não é essencialmente positiva. Crianças são tanto modelos a serem imitados (como nas palavras acima) quanto evitados (1Co 3.1; 14.20). O "desafio à infantilidade" do Senhor Jesus, portanto, não pode ser confundido com uma disposição crédula aberta a tudo, de modo que toda e qualquer atitude avaliadora ou condenatória deva ser exterminada. Longe disso, a fé cristã é uma resposta subjetiva e positiva às verdades objetivas, avaliáveis e, para espanto de muitos, avaliadoras (como toda verdade, diga-se). É reconhecer, numa entrega total, a verdade como verdade. Em suma, a fé cristã não é ingênua. Os braços da "criança do reino" não estão somente abertos para receber; antes, como os da criança do famoso conto de Hans Christian Andersen, também apontam e denunciam ousadamente que o rei está nu.

A fé cristã, portanto, é criteriosa, e seu amor à paz e à tolerância não sobrepuja seu compromisso com a verdade; caso contrário, ela sacrificaria a própria existência. Essa realidade ganha força na vastidão de alertas para a existência, inevitabilidade, religiosidade e dissimulação dos falsos mestres. São inúmeros os indícios fornecidos em ambos os Testamentos para a identificação dessa figura que une a atração do carisma e o poder destruidor da mentira. Não se trata de preciosismo ou refinamento artificial, mas de palavras amorosas que visam preservar os discípulos de Cristo dos danos imediatos e eternos resultantes de seguir "lobos em pele de cordeiro" (ver Mt 7.15). Nosso contato com o evangelho deve ser tal que nos capacite a reconhecer sua falsa versão e, como o apóstolo Paulo, declarar abertamente "anátema". Em suma, as ameaças são reais e os falsos mestres não são personagens presos nas páginas empoeiradas de documentos que retratam um passado distante e remoto.

Não obstante, o combate ao falso ensino precisa ser marcado pela cautela e diligência da mão de um neurocirurgião. Parte desse cuidado encontra explicação nos três elementos essenciais da comunicação: o locutor, o ouvinte e o conteúdo.

Quanto ao locutor, destaco seu caráter de "pele de cordeiro". Um falsário não se revela somente pelo que assegura aos gritos, mas pelo que nega (não necessariamente de maneira aberta) e, principalmente, evita. Ele tem a capacidade de caminhar por toda uma vida somente na periferia dos ensinamentos bíblicos, apropriar-se de toda terminologia das Escrituras, sem nunca sequer tocar o coração da fé cristã. Por isso, comumente não se pode reconhecê-lo somente por uma mensagem ou declaração (nem o Senhor Jesus sobreviveria a isso), mas pela tônica de suas palavras — o quadro geral. Soma-se a isso a ambiguidade e o caráter sedutor (bajulador) de sua retórica.

Quanto aos ouvintes, o cuidado se justifica devido a nosso coração. O povo dos dias de Isaías pedia: "Não nos revelem o que é certo! Falem-nos coisas agradáveis, profetizem ilusões" (Is 30.10b, NVI). Em outras palavras, o problema não está somente em uma ponta do diálogo, mas em ambas. O desafio bíblico ao cuidado não se resume a olharmos para quem e o que se fala, mas para nós mesmos. É preciso um coração longe das verdades do evangelho para que sua falsa versão encontre morada. Reconhecer que enganamos o coração e que o coração nos engana em um ciclo destruidor já sinaliza um bom começo.

Por último, e não menos importante, a natureza das heresias — o conteúdo e/ou a tônica proclamada (não necessariamente de maneira direta). Não existe "heresia pura" assim como não existe "mentira pura". Toda mentira precisa da verdade. A falsificação da verdade não é o mesmo que seu completo extermínio. Heresias, como as mentiras, são monstros — a verdade em estado de "mistura deformante". São muitos os combatentes que, no afã de expor a nudez do erro e matá-lo, acertam em cheio a verdade que, mesmo incipiente e sufocada, ainda estava lá. Precisamos não somente ver a mentira, mas primariamente reconhecer a presença, ainda que pobre e sombreada, da verdade. Não vemos a verdade pelo reconhecimento da mentira — é exatamente o inverso. Sem essa "distinção cirúrgica", o bisturi, que deveria ser um instrumento de "cura pela divisão", será uma ameaça constante. Em outras palavras, no combate contra as heresias, engana-se quem acha que só a mentira pode sair ferida. Toda discussão, pois, sobre o falso evangelho e seus pregadores deve obrigatoriamente passar pela peleja quanto ao que é central e/ou essencial no cristianismo.

O livro que você tem em mãos é uma tentativa de nutrir e aplicar o "comportamento cirúrgico" referido acima. Em outras palavras, seu conteúdo visa alimentar o zelo e o amor para com a verdade — ecoar os vários vocativos de cuidado que encontramos ao longo das Escrituras. Contudo, aplicando esse cuidado a um fenômeno específico: a teologia do *coaching*. A larga disseminação desse fenômeno tão presente nesta geração justifica um trabalho dessa natureza. São hereges? Falsos profetas? Pensando em nosso momento histórico, acreditar que hereges e/ou falsos profetas existem já é um grande passo. Aplicar a rubrica, porém, é uma história bem diferente. Ainda assim, estou certo de que o conteúdo a seguir será de grande auxílio nesse necessário processo de julgamento.

Os três autores foram meus alunos em um curso de mestrado. O que posso dizer? É motivo de muita alegria, por um lado, não somente ter alunos que eu julgava ter potencial para a produção literária empregando seus talentos devidamente, mas, por outro, me procurando para fins de endosso. Essa procura indica que algo permaneceu entre nós além da sala de aula. Esse "algo além" agora está, de alguma forma, materializado nesta obra. Em suma, estou alegre por aprender com quem um dia aprendeu algo de mim. Círculo virtuoso. Que ele não pare. Mestres e alunos numa troca constante de papéis.

Rômulo A. T. Monteiro
Diretor do Instituto de Teologia Semear
e pastor da Primeira Igreja Batista de Aquiraz (CE)

Introdução à nova edição

Quando publicamos, em 2021, a primeira edição de *Você é o ponto fraco de Deus e outras mentiras da teologia do* coaching, não imaginávamos que a obra receberia o destaque que recebeu. Nosso objetivo era alertar aqueles que acompanhavam nossos ministérios de ensino acerca de um novo e cada vez mais popular problema teológico. Essa abordagem, que denominamos "teologia do *coaching*", já vinha alcançando um número significativo de pessoas que, embora sinceras, não percebiam como o falso ensino, com suas promessas infundadas, poderia prejudicá-las e desencaminhá-las da fé bíblica. Longe de tentar difamar um ou outro pregador popular em especial, o livro visava tratar de um amplo movimento que havia crescido para além de suas figuras mais proeminentes.

Com a ação de Deus, a obra alcançou tamanha quantidade de vidas e se tornou instrumento de libertação para tantas pessoas que uma nova edição se fez urgente, agora não apenas pela Schaeffer Editorial, mas em copublicação com a aclamada editora Mundo Cristão, que há quase seis décadas vem edificando o Brasil com obras populares de qualidade teológica e pastoral. Para nós, ver este livro com um novo trabalho editorial e gráfico, e disponível a um público mais amplo, é prova de que alertar nossos irmãos em Cristo sobre os perigos da teologia do *coaching* constitui tarefa ainda mais necessária hoje do que à época de lançamento da primeira edição.

Se antes essa versão semiteológica do empreendedorismo de palco afetava apenas aqueles alcançados por sermões em eventos e em vídeos no YouTube, hoje somos constrangidos com reportagens nos maiores jornais do país denunciando os efeitos terríveis dessa nova versão da teologia da prosperidade, agora voltada para um tipo de bem-estar psicológico e sucesso pessoal que tem levado pessoas a literalmente colocarem a vida em risco em nome de "avançar em nome de Jesus" e "progredir para a glória de Deus". Infelizmente, a fé dos apóstolos continua encontrando deturpações cada vez mais criativas a cada geração.

Cabe ressaltar, porém, que a obra que o leitor tem em mãos não é um ataque irresponsável, comum às confusões das redes sociais. Antes, ela tem sido recebida como uma exposição propositiva do que é o verdadeiro discipulado e do que Cristo espera de nós em diferentes âmbitos da vida: saúde emocional, paz familiar, cuidado do corpo, acúmulo de bens e sucesso profissional. Há aqui muito dos fundamentos de nossos ministérios e de nossa vida cristã. São as verdades que nos mantêm firmes na fé. Esperamos que este material continue ajudando outros irmãos a se sustentarem mais solidamente no poder do evangelho.

Com o coração alegre e cheio de gratidão,

Os autores
Julho de 2023

Introdução à primeira edição

Em *Fahrenheit 451*, distopia clássica de Ray Bradbury na qual livros são proibidos e queimados, há um encontro marcante com uma Bíblia remanescente. Um dos personagens nota a diferença em como tratavam Jesus Cristo naquela época e como o tratavam em épocas anteriores. Vivendo numa realidade sem livros, ou seja, também sem Bíblias, e sem acesso à verdade, ele diz:

> Cristo agora é um da "família". Muitas vezes me pergunto se Deus reconhece Seu próprio filho do jeito que o vestimos, ou devo dizer despimos? Ele é agora uma guloseima em bastão, feita de açúcar cristal e sacarina, quando não está fazendo referências veladas a certos produtos comerciais de que todo fiel absolutamente necessita.[1]

Infelizmente, muitos de nós vivem num mundo pessoal parecido. Sem livros e sem Bíblia, mesmo com acesso a tudo isso. Muitos construíram um Jesus por meio de outras fontes. E uma das fontes mais atuais é a espiritualidade egocêntrica e emocional de muitos púlpitos e mensagens no YouTube. Estão vestindo (ou despindo) Cristo com uma roupagem que enfoca mais o homem que o próprio Deus. Bradbury atua como profeta ao escrever sobre um Cristo feito de açúcar, como uma guloseima criada para satisfazer o paladar do cliente. Quando falta Bíblia, é isso que acontece: começamos a desenhar Jesus a partir de nossos próprios interesses e necessidades. Este livro é um megafone gritando: "Voltemos às Escrituras! Voltemos a visões bíblicas de Deus, do homem e do discipulado cristão!". É uma tentativa de mudar essa "distopia-sem-verdade-cristocêntrica" em que muitos estão vivendo.

É inevitável que tendências e correntes teológicas surjam ao longo da história. Não somente no passado, mas em nosso próprio tempo, elas surgem e precisam ser analisadas a fim de que sejam entendidas e validadas ou rejeitadas. Em nosso contexto, uma teologia que tem ganhado destaque, arrebanhando seguidores e construindo essa distopia cristã, é a chamada teologia do *coaching*.

Assim como toda proposta de conhecimento de Deus, ela apresenta uma hermenêutica e homilética próprias. Seus proponentes seguem um padrão de pregações que pode ser visto em palestras, em megaigrejas e em muitos vídeos veiculados nas redes sociais. Consequentemente, seus seguidores apresentam uma forma de pensar e viver que é condizente com o que é propagado pelos arautos dessa mensagem. Este livro trata de um fenômeno moderno, mas cujas origens são tão antigas quanto o pecado.

Uma vez que a teologia do *coaching* se propõe falar sobre a vontade de Deus, é preciso uma análise das ideias, origens e implicações desse ensino, bem como das formas como ele se apresenta. Por causa disso, unimos nossas vivências e nos dispomos a estudar e analisar esse fenômeno no intuito de oferecer uma resposta em advertência ao povo de Deus.

O presente livro é fruto de nossa experiência teológica e pastoral e de uma análise bíblica dessa teologia. A obra é dividida em três partes. A primeira delas é escrita pelo pastor Pedro Pamplona e contém três capítulos. No capítulo 1, ele relembra o fato de que Judas (o meio-irmão de Jesus), Paulo e Jesus fizeram duras advertências contra os falsos mestres. No capítulo 2, ele busca definir o que é a teologia do *coaching*, expondo os fundamentos e as origens dessa corrente e seus estreitos laços com a teologia da prosperidade. Aponta ainda como a compulsão por desempenho conduz a uma frustração individual que leva as pessoas a procurar respostas na mensagem terapêutica da teologia do *coaching*. No capítulo 3, Pamplona analisa as áreas centrais da doutrina cristã que são deturpadas pelo entendimento e pelas pregações da teologia do *coaching*, e mostra como os conceitos centrados no ser humano corrompem doutrinas essenciais, como a Trindade.

A segunda parte do livro é desenvolvida pelo pastor Yago Martins. Ele expõe os efeitos da teologia do *coaching* na vida cristã e como o seguidor é influenciado negativamente a viver um cristianismo que não corresponde ao bíblico. No capítulo 4, discorre sobre a necessidade de reconhecer a identidade messiânica de Cristo para que haja salvação, mostrando como a teologia do *coaching* reduz a identidade de Jesus e como isso, consequentemente, compromete o discipulado. Nos capítulos 5 e 6, ele disserta sobre as consequências de seguir verdadeiramente Jesus, o que muitas vezes resulta em autossacrifício e discordâncias com as pessoas, incluindo aquelas que mais amamos. Tais ensinamentos não recebem menção nos discursos dos pastores *coaches*, o que conduz a uma vida enganosamente cristã. No capítulo 7, Martins mostra como a teologia do *coaching* está focada em tesouros terrenos, opondo-se, dessa forma, àquilo que a Bíblia ensina e motiva quando nos diz que devemos juntar tesouros celestiais. O foco da teologia do *coaching* está em conquistas inúteis e passageiras, sendo urgente, portanto, voltar os olhos para o que a Palavra de Deus de fato ensina sobre os tesouros eternos.

Na terceira parte, o pastor Guilherme Nunes traz a visão de Paulo a respeito do real discipulado. No capítulo 8, ele aborda o tema da alegria no contexto de sofrimento ao analisar a carta de Paulo aos filipenses, a fim de mostrar o custo do discipulado cristão e seu contraste com os ensinos dos arautos do *coaching* teológico. No capítulo 9, Nunes analisa as parábolas de Jesus relatadas por Lucas para demonstrar qual deve ser a disposição do coração do seguidor de Cristo. Fazendo uma análise da parábola do administrador infiel, ele demonstra como a teologia do *coaching* corrompe os valores que devem ser estimados pelos cristãos.

Como pastores e teólogos, também envolvidos na comunicação pública, queremos ajudar nossos irmãos e irmãs a viverem uma vida de discipulado mais próxima de Cristo. Nossa oração é que este material abra alguns olhos que foram encantados por palcos iluminados, mas obscurecidos para a cruz de Cristo.

Os autores
Advento de 2020

PARTE I

A nova teologia da prosperidade

[O liberalismo é] contrário ao cristianismo, em primeiro lugar, em sua concepção de Deus. Mas, nesse ponto, encontramos uma forma particularmente insistente dessa objeção a questões doutrinárias que já foram consideradas. Dizem que não é necessário ter uma "concepção" de Deus; que a teologia ou o conhecimento de Deus é a morte da religião; que não deveríamos procurar conhecer a Deus, mas tão somente sentir sua presença.

J. Gresham Machen, *Christianity & Liberalism*

[No culto,] sem uma forte convicção litúrgica sobre a diferença de Deus em relação a nós, e sem uma forte expressão dessa diferença, corremos o risco constante de falar com ninguém a não ser com nós mesmos.

Graham Hughes, *Faith's Materiality,
and Some Implications for Worship and Theology*

≡ 1 ≡

Jesus e Paulo no octógono da doutrina: Quando a treta é necessária

Não pule este primeiro capítulo. Ele não é do tipo que somente apresenta o tema e a estrutura do livro. Há um conteúdo importantíssimo nestas primeiras páginas que você precisa ler e compreender antes de prosseguir com a leitura: tretas, às vezes, são necessárias. Acredite, eu não tinha vontade de escrever este livro — meus projetos eram diferentes e abordavam outros temas —, mas decidi fazê-lo por necessidade. Creio que meu sentimento é parecido com o de Judas (não o traidor), que desejava escrever a respeito da salvação, porém sentiu a obrigação de exortar seus leitores "a lutar pela fé que uma vez por todas foi entregue aos santos" (Jd 1.3). Na vida cristã e na teologia, expor os erros, defender a verdade e debater sobre doutrinas perigosas fazem parte da luta pela fé bíblica. Há momentos em que isso precisa ser feito.

Quando Judas fala sobre fé, ele não se refere ao ato de crer, mas ao conteúdo da crença. Em outras palavras, podemos entender o trecho citado anteriormente como uma exortação a lutar pela doutrina cristã que uma vez por todas foi entregue aos santos. É pelo conteúdo da fé cristã que Judas está escrevendo.

Segundo Peter Davids, quando lemos que essa fé foi "uma vez por todas entregue aos santos", podemos depreender duas implicações: a primeira é que nenhuma nova revelação pode alterar a essência dessa fé; a segunda é que tal fé foi recebida pelos leitores através de mestres que respeitaram a tradição cristã.[1] Esses são os motivos pelos quais Judas enxerga o dever de batalhar pela fé. Nossa doutrina é imutável e pertence a uma tradição baseada em Jesus e no ensino dos apóstolos. O que for diferente disso precisará ser combatido.

O problema que Judas enfrentava é o mesmo que a igreja enfrenta ainda hoje. Alguns indivíduos estavam pervertendo o ensino da graça de Deus e da pessoa de Jesus Cristo (Jd 1.4). O evangelho e os pontos centrais da fé cristã estavam sendo atacados, e Judas percebeu que uma treta seria necessária — mais necessária do que tratar da salvação (1.3). É isso mesmo que você leu. Há um livro bíblico que afirma que, naquela ocasião, falar contra hereges era mais urgente do que falar sobre a salvação. Aqui aprendemos uma lição importante: falsos ensinos que pervertem o evangelho precisam ser impreterivelmente combatidos, pois afastam as pessoas da verdadeira redenção. Judas não caiu na falácia de que "mais importante é pregar o evangelho e ganhar almas", falácia essa que tenta evitar qualquer refutação de falsos ensinos. Uma pessoa que ouve e acolhe outro evangelho não enxergará a necessidade de ouvir e acolher o verdadeiro evangelho. Combater o falso evangelho também faz parte da missão de evangelização. Um pequeno livro foi colocado por Deus no cânon bíblico para nos ensinar isso.

Sim, tretas doutrinárias podem ser muito necessárias. No entanto, vou qualificar melhor o tipo de treta a que me refiro. O motivo pelo qual uso essa expressão é por sua popularização na internet, mas poderíamos facilmente substituí-la por polêmica, já que os polemistas eram os primeiros cristãos no século 2 que combatiam ensinos heréticos de falsos mestres. Ainda no livro de Judas, encontramos bons conselhos para lutar por nossa fé de maneira adequada. No versículo 20, lemos que é nosso dever continuar nos edificando na "fé santíssima". Devemos estar em constante aprendizado bíblico-teológico, que deve ser feito numa vida de oração no Espírito Santo (1.20) e no ambiente de amor e esperança da igreja (1.21). Sem oração e sem vida de comunhão, corremos o grande risco de nos assemelhar aos fariseus legalistas e hipócritas que foram repreendidos por Jesus. Por fim, Judas nos aconselha a ter compaixão dos que estão vivenciando dúvidas na fé (1.22) e nos lembra que, para não cairmos, nossa confiança deve estar tão somente em Deus (1.24). Aquele que luta pela fé deve ser compassivo e lembrar que Deus é quem o sustenta na verdade do evangelho. Aquele que sabe que somente Deus o sustém mostra humildade e compaixão aos que estão hesitantes diante do engano, atitude essa que o leva a batalhar pela fé.

Esse tipo de treta é necessário quando pontos centrais da fé cristã estão sendo pervertidos e falsos evangelhos, difundidos. É crucial quando o erro e a dúvida estão sendo semeados em corações que carecem do verdadeiro evangelho. Essa treta é movida pela compaixão, pela humilde confiança em Deus, pela oração e pelo desejo de evangelizar corretamente. Esse é o tipo de treta a que este livro se refere. É assim que queremos lutar pela fé, debater teologia e criticar a teologia do *coaching*. E, para fortalecer essa ideia, tenho alguns exemplos de boas tretas para apresentar.

PAULO "TRETANDO" NA GALÁCIA

Um personagem bíblico, além de Judas, que nos ensina sobre boas tretas teológicas é o grande apóstolo Paulo. Sua carta aos gálatas é um material excelente para analisarmos a necessidade e a forma dessa batalha pelos pontos centrais da fé cristã. O problema enfrentado por Paulo é que os leitores estavam caminhando para outro evangelho (Gl 1.6), pois havia falsos mestres adulterando a mensagem do evangelho verdadeiro (1.8). Carson, Moo e Morris afirmam que o apóstolo "reconheceu que o que os seus convertidos faziam significava que renunciavam ao âmago do caminho cristão, e ele escreveu sem demora para corrigir a situação".[2] Novamente, é possível perceber que, se o falso ensino toca em pontos fundamentais da fé cristã, a treta se faz necessária. Paulo entendeu isso e realizou um grande trabalho no combate ao erro.

A postura do autor é exemplar. Ao longo da carta, ele apresenta o problema central da perversão do evangelho que acometia aquela congregação. Um ensino judaizante influenciava a igreja daquela região: falsos mestres exigiam a observância de certos pontos da lei mosaica para a salvação em Cristo. Eles queriam até mesmo que aqueles cristãos se afastassem de Paulo, que era a fonte de ensino do verdadeiro evangelho (Gl 4.17). O apóstolo explica tal situação dizendo que os gálatas estavam enfeitiçados (3.1), pois haviam recebido o Espírito Santo pela fé (3.2), mas desejavam continuar a vida cristã na carne, ou seja, com base nas obras (3.3). Descobrimos pelo menos dois pontos centrais da lei que estavam sendo adicionados ao evangelho da graça, marcadores sociais judaicos cobrados como marcadores da vida cristã: a guarda do calendário judaico (4.10) e a circuncisão (5.2). O evangelho estava em jogo.

Dois aspectos admiráveis chamam a atenção na treta de Paulo. O primeiro é o ensino teológico contra a heresia. Gálatas 3, por exemplo, é um tratado profundo sobre a relação entre antiga aliança e nova aliança, em que Paulo explica a função da lei e sua relação com a promessa de Deus feita a Abraão e cumprida em Cristo. Ele mostra como a lei mosaica sempre apontou para Cristo e que sua função era temporalmente limitada. Esse capítulo, fonte de muitos estudos e debates teológicos, se encerra com uma conclusão clara e simples: não existe mais separação entre judeus e gentios (3.28). Na nova aliança, ambos são um só povo em Cristo. A boa teologia estava vencendo a falsa teologia.

O segundo aspecto é a coragem e o zelo de Paulo para se posicionar com firmeza contra o erro. Gálatas 2 é um soco no estômago daqueles que julgam ser errado criticar ou repreender quem ensina ou se comporta incorretamente — Paulo repreendeu publicamente o ilustre apóstolo Pedro. Ele identificou que a atitude de Pedro não condizia com "a verdade do evangelho" (Gl 2.14). Para agravar a situação, Pedro estava influenciando outros judeus, e até mesmo Barnabé, a se comportarem de maneira contrária ao evangelho (2.13). Por isso, Paulo classifica tal comportamento como repreensível ou condenável (2.11). Atente para isto: Pedro, o grande apóstolo e líder da igreja primitiva, foi repreendido correta e publicamente por Paulo. Por que, então, damos ouvidos a celebridades *gospel* ou pastores que dizem que não devemos combater o erro e repreender seus propagadores? Quem são eles diante de Paulo e de seu texto divinamente inspirado?

A cena fica ainda mais séria. Paulo é tão intenso em sua defesa do verdadeiro evangelho que diz: "Mas, ainda que nós ou mesmo um anjo vindo do céu pregue a vocês um evangelho diferente daquele que temos pregado, que esse seja anátema" (Gl 1.8). Não devemos dar ouvidos a qualquer ensino que se diga angelical ou espiritual, nem mesmo a anjos, se ele difere do evangelho. A palavra "anátema" é outra escolha forte de Paulo. O termo é uma transliteração do grego ανάθεμα, que, no Novo Testamento, é usado para se referir à maldição. No parecer de Moo, o que está envolvido na expressão de Paulo é "nada menos que sofrer a ira judicial de Deus".³ A treta é tratada com seriedade. Se pregadores da teologia do *coaching* ou de qualquer outro erro grave estão debaixo da ira de Deus, repreendê-los é tanto um dever de defesa da fé quanto de amor e misericórdia para com eles próprios.

Com base no livro de Gálatas, concluo que qualquer pessoa que estiver pervertendo pontos centrais da fé cristã deve ser repreendida. Se o caso for como o de Pedro, pessoa pública e influente, a repreensão pode e muitas vezes deve ser feita publicamente. Devemos fazer isso por amor aos que estão sendo enganados, como Paulo faz ao escrever sua carta, e por amor aos próprios enganadores, que estão debaixo da ira de Deus. Mostrar o erro é abrir os olhos para o arrependimento. Além disso, a repreensão teológica deve ser sempre acompanhada do ensino da verdade. Combatemos má teologia com boa teologia. A exposição do erro precisa estar casada com a correção doutrinária do erro, caso contrário estaremos tão somente semeando mais dúvidas mediante uma treta vazia de significado.

JESUS "TRETANDO" COM OS FARISEUS

Depois de Judas e Paulo, não poderíamos deixar de lado o exemplo de Jesus. Por mais que os relatos de Judas e Paulo tenham a mesma autoridade que os relatos de Jesus — pois todos são textos inspirados por Deus (2Tm 3.16) —, em Jesus temos a certeza de alguém que agiu sem nenhum pecado. E temos o grande chamado para viver como ele viveu. Permita-me fazer uma observação importante: infelizmente, tem sido comum encontrar pessoas que desconsideram a igual autoridade de todas as partes da Bíblia e escolhem viver mais de acordo com os textos que falam sobre Jesus. O discurso de que "o que importa é Jesus" parece muito bonito e cristão, mas, nesse contexto, é problemático.

A ideia de "Jesus como chave hermenêutica"[4] é outro erro que merece uma treta, mas não é a treta deste livro. Então, se você pensa algo parecido, aqui está o exemplo de Jesus, mas é essencial procurar corrigir essa visão.

No capítulo 23 do Evangelho de Mateus, vemos uma boa e necessária treta em que Jesus se envolveu. Seu discurso contra os escribas e mestres da lei é duríssimo, e imagino que nos dias de hoje ele seria repreendido por muitos cristãos. Mas vamos por partes. O capítulo 23 é apenas o ponto culminante da treta. Ela começa no capítulo 21, em que encontramos Jesus numa treta paralela com os comerciantes no templo. Ele os expulsa e derruba mesas (Mt 21.12-13). Logo depois, tem início sua discussão com os líderes religiosos. Algumas crianças haviam visto os milagres de Jesus e gritavam: "Hosana ao Filho de Davi" (21.15). Os líderes religiosos judeus se indignam, e Jesus começa a confrontá-los (21.16). Em Mateus 21.23—22.14, encontramos mais um debate de Jesus com os líderes religiosos, agora sobre sua autoridade. Em Mateus 22.17, os fariseus armam uma pergunta traiçoeira sobre impostos, como um tipo de armadilha intelectual para Jesus, e, nesse momento, nosso Senhor os chama de hipócritas em tom de acusação (22.18).

A partir de Mateus 22.23, são os saduceus que tentam apanhar Jesus com uma pergunta complicada. Tomando por base a lei do levirato, segundo a qual o homem deveria se casar com a viúva de seu irmão (Gn 38.7; Dt 25.5), eles falam de uma mulher que se casou sucessivamente com sete irmãos e perguntam a Jesus quem será o verdadeiro marido dela na eternidade. A resposta de Jesus expõe o erro dos saduceus: "O erro de vocês está no fato de não conhecerem as Escrituras nem o poder de Deus" (Mt 22.29). Seu debate se dava com aqueles que usavam a ressurreição, mas não criam nela. O mais interessante é ver o resultado dessa treta: "Ouvindo isto, as multidões se maravilhavam da sua doutrina" (22.33). Enquanto apontava o erro dos líderes religiosos, Jesus ensinava a verdade à multidão. Sua treta nunca teve o propósito de apenas "tretar", mas sim de ensinar a verdade ao povo. Aqui está um exemplo e princípio importantíssimo para nós: combater o erro e participar de debates doutrinários são ações que devem ter como propósito ensinar a verdade ao máximo de pessoas possível. Toda treta precisa ser didática.

Encontramos mais um debate entre Jesus e os fariseus em Mateus 22.34-46. Os mestres religiosos querem saber sobre o maior mandamento, e Jesus responde, mais uma vez, com a verdade e com provocações teológicas. É após essa resposta incrível que calou a boca de seus oponentes (22.46) que Jesus inicia seu duro discurso do capítulo 23. David L. Turner divide essa fala em três partes: na primeira, Jesus adverte a multidão e seus discípulos sobre os erros e incoerência dos escribas e fariseus (23.1-12); na segunda, Jesus denuncia duramente esses líderes expondo seus erros e falando diretamente a eles por meio dos "ais" (23.13-36); na parte final, Jesus lamenta por Jerusalém enquanto afirma a justiça do julgamento que ela está sofrendo (23.37-39).[5] Para termos noção do quanto essa treta foi pesada, estão listados abaixo os motivos dos "ais" que Jesus proferiu contra a hipocrisia dos líderes religiosos:

- "Vocês fecham o Reino dos Céus diante das pessoas; pois vocês mesmos não entram, nem deixam entrar os que estão entrando!" (23.13).
- "Vocês percorrem o mar e a terra para fazer um prosélito; e, uma vez feito, o tornam filho do inferno duas vezes mais do que vocês!" (23.15).

- "[Vocês] dizem: 'Se alguém jurar pelo santuário, isso não tem importância; mas, se alguém jurar pelo ouro do santuário, fica obrigado pelo que jurou!' Seus tolos e cegos! Qual é mais importante: o ouro ou o santuário que santifica o ouro?" (23.16-17).
- "Vocês dão o dízimo da hortelã, do endro e do cominho e desprezam os preceitos mais importantes da Lei: a justiça, a misericórdia e a fé. Mas vocês deviam fazer estas coisas, sem omitir aquelas!" (23.23).
- "Vocês são semelhantes aos sepulcros pintados de branco, que, por fora, se mostram belos, mas interiormente estão cheios de ossos de mortos e de toda podridão!" (23.27).

Agora, repare no último "ai" de Jesus:

Ai de vocês, escribas e fariseus, hipócritas, porque vocês edificam os sepulcros dos profetas, enfeitam os túmulos dos justos e dizem: "Se nós tivéssemos vivido nos dias de nossos pais, não teríamos sido seus cúmplices, quando mataram os profetas!" Assim, vocês dão testemunho contra si mesmos de que são filhos dos que mataram os profetas. Portanto, tratem de terminar aquilo que os pais de vocês começaram.

Serpentes, raça de víboras! Como esperam escapar da condenação do inferno? Por isso, eis que eu lhes envio profetas, sábios e escribas. A uns vocês matarão e a outros crucificarão; a outros ainda vocês açoitarão nas sinagogas e perseguirão de cidade em cidade; para que recaia sobre vocês todo o sangue justo derramado sobre a terra, desde o sangue do justo Abel até o sangue de Zacarias, filho de Baraquias, a quem vocês mataram entre o santuário e o altar. Em verdade lhes digo que todas estas coisas hão de vir sobre a presente geração.

Mateus 23.29-36

As palavras são duras e públicas. Na conclusão dos "ais", Jesus expõe a grande incoerência teológica e histórica dos líderes religiosos. Eles se vangloriavam porque não teriam participado da morte dos profetas no passado, mas estavam perseguindo e buscando matar o maior dos profetas, o próprio Cristo. Jesus aponta esse erro e promete julgamento. É uma treta verdadeiramente pesada. No trecho citado, há termos como serpentes, raça de víboras e inferno. Imagine esse discurso hoje, em linguagem contemporânea. É provável que muitos não aceitariam tal postura. Mas o exemplo de Jesus é perfeito, porque sabemos que ele denunciou o erro dessa forma sem pecar. Aprendemos com ele que é possível "tretar" de maneira santa. Jesus é proporcional no seu combate à heresia. Suas palavras e ações são medidas pela gravidade dos erros que estão sendo confrontados. Os erros dos líderes religiosos eram gravíssimos, logo Jesus foi corretamente duro.

Jesus nos ensina que precisamos agir quando heresias estão sendo ensinadas. Nosso Mestre nos indica que essa ação pode e, muitas vezes, deve ser dura. Há momentos em que tretas como essas se fazem necessárias. Ele nos instrui também que é possível expor o erro e debater doutrina sem pecar. É isso que devemos buscar. Cristo também nos dá o exemplo da treta útil, aquela que serve para ensinar a verdade ao povo. O que estava em jogo em seus debates com os líderes religiosos era o meio de salvação. A dureza de Jesus, portanto, era um ato de misericórdia e evangelismo. Ele estava desfazendo os erros para que a mensagem da salvação e do reino estivesse sempre disponível ao povo. Essa é a motivação que devemos cultivar. Antes de entrar em qualquer treta contra heresias, devemos olhar para Jesus e orar para seguirmos o seu exemplo.

CONCLUSÃO

Avance um pouco no tempo, após esses eventos bíblicos, e vá até o quarto século. Naquela época, o ensino de Ário estava sendo combatido por alguns teólogos e pastores. O arianismo ensinava que Jesus não era plenamente Deus, mas apenas um ser superior criado por Deus. As doutrinas sobre Jesus Cristo e sobre a Trindade sofriam ameaça. Se não fosse por homens como Atanásio e pela movimentação, debate e decisão do Concílio de Niceia, muito provavelmente não creríamos hoje na Trindade e na divindade de Cristo. Estaríamos, no máximo, em um salão das testemunhas de Jeová. Já pensou nisso? Aquela treta foi fundamental para a história do cristianismo.

Caminhe mais um pouco, desta vez até o século 16. A salvação estava sendo manipulada por uma igreja que se importava mais com o lucro financeiro do que com a alma de seus fiéis. Um sistema de salvação por obras estava em pleno funcionamento, e a igreja vendia a salvação para financiar seu luxo. Mais uma vez, havia uma doutrina fundamental do cristianismo em jogo, e o evangelho estava sendo negado. Se não fosse por Lutero e outros reformadores que compraram a treta, é muito possível que hoje estaríamos buscando salvação como quem procura comida no supermercado. Já imaginou não conhecer a salvação somente pela graça e somente pela fé? Exatamente por isso aquela treta foi fundamental para que esse ensino bíblico chegasse até nós.

Tretas são necessárias quando doutrinas centrais do cristianismo sofrem perversão e a igreja é enganada por falsos ensinos que levam a falsas práticas de vida. Nesses momentos, expor o erro e ensinar a verdade de maneira santa são os maiores atos de amor e de evangelismo que podemos praticar. O discurso de que não podemos julgar ou criticar pastores e pregadores pode até estar disfarçado de amor, mas, na realidade, não passa de indiferença para com aqueles que estão caminhando para o abismo com os olhos vendados. Quando a heresia surge, somos chamados a passar a vassoura, não o pano. Calvino tem uma ideia que combina bem com isso:

> O pastor necessita de duas vozes: uma para ajuntar as ovelhas e outra para espantar os lobos e ladrões. A escritura provê os meios para fazer ambas as coisas, e aquele que tem sido corretamente instruído nela será capaz tanto de governar os que são suscetíveis ao aprendizado quanto de refutar os inimigos da verdade.[6]

É isso que este livro objetiva fazer. Somos três pastores usando a voz que espanta os falsos ensinos. Nossa base será as Escrituras, e nosso desejo é que aqueles que hoje estão no erro sejam suscetíveis ao aprendizado e não acabem como inimigos da verdade. Sei que as críticas, às vezes, tornam os pregadores criticados ainda mais famosos e que muitos deles vivem pela filosofia do "falém mal, mas falem de mim". É triste saber que existe até mesmo deboche por parte dos que são criticados e que alguns deles confirmam que, de fato, estão pregando heresias, ainda que para fins retóricos. O pior herege é o narcisista, o que usa a heresia para aparecer e ter seu nome divulgado, o que chama a si mesmo de herege para atrair atenção e polemizar. É a loucura de se fazer anátema pela fama. Ele se vê na própria heresia e passa a amar o resultado dessa união. Mesmo assim, precisamos agir. Fomos chamados para corrigir os erros doutrinários independentemente da fama de quem os propaga.

Isso pode custar um alto preço, mas estamos dispostos a pagá-lo. Em *Os sermões dos maricas: A pregação da verdade para homens de mentira*, Yago Martins, autor da segunda parte deste livro, fala com base em sua experiência de polemista:

> Na internet, é comum ver algumas pessoas acusando outras de serem polêmicas, simplesmente porque estas costumam tocar em assuntos que fazem a maioria dos crentes tremerem nas bases. Pastores e pregadores que gostam de assertivas claras, contundentes e viris serão tidos, com muita frequência, como meros brigões. Podem acusar seus sermões e escritos como de mau gosto, mas eles serão menos prejudiciais do que textos de gosto médio que evitam assuntos complexos. O pregador fiel não conseguirá se adaptar com a lei da palmada que se impõe em muitas igrejas. [...] precisamos de homens fortes, mas também precisamos de igrejas fortes. Comunidades que não cedam ao relativismo atual e que sejam confessantes — que possuam um corpo firme, claro e declarado de doutrinas, que preguem a Palavra e exponham a verdade com propriedade, que conheçam as confissões de fé e credos históricos e que levantem muros claros de amor e verdade.[7]

Com esta introdução, viso estabelecer nossa justificativa para escrever os próximos capítulos. Não estou comparando os pregadores da teologia do *coaching* com fariseus, judaizantes, arianos ou católicos do século 16, mas creio que eles têm pervertido pontos centrais da fé cristã, principalmente sobre a Pessoa de Deus. Também não estou dizendo que somos perfeitos como Jesus, ousados como Paulo, sábios como Judas e corajosos como Atanásio e Lutero, mas creio que podemos apontar o erro e ensinar a verdade de forma humilde, amorosa e edificante para a igreja. É isso que faremos a seguir. Iniciaremos pelo problema da teologia do *coaching* e, mais à frente, ofereceremos uma visão bíblica sobre a vida de um verdadeiro discípulo de Jesus.

2

Genealogia da heresia: Definindo a teologia do *coaching*

Inicio este capítulo com um aviso: citarei alguns nomes nas próximas páginas. Não há como fazer uma crítica responsável e duradoura por meio de um livro sem ser específico na apresentação do problema. Escrever uma obra que responde a erros teológicos e apresentar esses erros mediante expressões sem identidade como "disseram por aí", "temos ouvido sobre isso" ou "alguns têm ensinado isso" seria irresponsável. Você, leitor, precisa saber que o problema é real. Precisa conhecer as fontes e ver que não se trata de mera interpretação nossa. É por isso que nomes e erros serão citados juntos. Além disso, você poderá conferir a fonte desses erros nas notas ao final do livro. Nosso desejo é que esta obra sirva como um documento sério contra a teologia do *coaching* (TC).

É fundamental reiterar que não há desavença pessoal contra os nomes citados. Com isso quero dizer que não estou me levantando contra a vida desses homens. A crítica se dirige apenas ao que está relacionado a erros teológicos. Sei que tais pregadores podem ser boas pessoas, bons maridos, pais e amigos. O interesse deste livro é o fato de que, infelizmente, eles não estão sendo bons pregadores e mestres do evangelho. Não odiamos ninguém. Não queremos destruir ninguém. Nosso desejo é repreender, corrigir e ensinar por meio das Escrituras para que todos estejam mais preparados para a boa obra (2Tm 3.16). Ansiamos que eles e todos que os têm escutado leiam este livro, aprendam a verdade e se arrependam das falsas concepções de Deus, de si mesmos e da vida cristã. Não queremos uma fogueira. Se esse é o seu desejo, outro livro precisa ser escrito para criticar você.

DEFININDO A TEOLOGIA DO *COACHING*

O ano era 2016. Eu estava assistindo a alguns vídeos no YouTube e encontrei um em que um *coach* famoso da minha cidade pregava numa igreja também bastante famosa.[1] A curiosidade me fez começar a assistir. A "pregação" dizia respeito a estabelecer limites para obter sucesso. O "pregador" andava de um lado para o outro no palco enquanto falava com empolgação. Por várias vezes, ele pedia que as pessoas expressassem palavras de afirmação para quem estava ao lado. Um desses momentos me chamou a atenção: ele perguntou quem precisava estabelecer mais limites na vida e, logo depois, pediu que todos treinassem o não. "Fale assim: não!", ele dizia. "Foi baixo. Não!" As pessoas repetiam, gritando "não" na igreja. Era exatamente como outros eventos de *coaching* a que eu já havia assistido.

A palestra (é melhor denominar assim) não era ruim. Não havia heresias. Era um conteúdo interessante, e alguns versículos isolados foram usados para fortalecer os argumentos. Mas a linguagem e a metodologia do *coaching* de palco me incomodaram. No final, com uma melodia ao fundo, o palestrante fez um apelo. Pedindo que todos levantassem as mãos, ele perguntou: "Quem aqui quer reconhecer Jesus Cristo como Senhor e Salvador e vir jogar no time dos vencedores?". Novamente, aquilo soou estranho. Percebi que a mensagem estava atrelando o evangelho ao sucesso em áreas diversas da vida. Percebi que a ideia era que, se crermos da maneira correta, se estabelecermos os limites corretos, se vivermos princípios corretos, então teremos sucesso. Talvez eu estivesse enganado a respeito dessa palestra, mas logo descobriria que esse tipo de mensagem vinha se espalhando pelo Brasil. Foi nesse momento que decidi pesquisar um pouco mais e escrever sobre o assunto.

Li um ótimo artigo chamado "Por que a indústria do empreendedorismo de palco irá destruir você", no qual o autor, Ícaro de Carvalho, afirma:

> O empreendedorismo é a nova religião do homem moderno. Materialista e secular, ele substituiu os Santos do seu altar por fotografias de homens bem-sucedidos; os seus Evangelhos são livros como *O sonho grande* e *A força do hábito*. Ele acredita, de alguma maneira, que tudo aquilo irá aproximá-lo do seu objetivo principal: sucesso, fama e dinheiro... de preferência agora! [2]

Foi na leitura desse trecho que percebi o que estava acontecendo: o *coaching* de palco estava absorvendo elementos religiosos e a igreja estava absorvendo elementos do *coaching* de palco. Se as pessoas estão sedentas por esse tipo de abordagem emocional que promete o sucesso, por que não cristianizar isso e oferecê-lo em nossas igrejas? O grande sucesso dos empreendedores de palco que atraem multidões e cobram fortunas por uma ou duas noites de palestra é realmente sedutor para pastores que estão sofrendo com a falta de membros e recursos. Por que não buscar a solução nessa fonte? O termo "teologia do *coaching*" surgiu em minha mente. Naquela época, eu estava me referindo, de maneira geral, ao uso da linguagem e das técnicas do *coaching* de palco em pregações nas igrejas. Essa definição ficou mais detalhada com o passar do tempo, o que explicarei mais adiante.

Em dezembro de 2016, escrevi o artigo "Teologia do *coaching*: a substituta da teologia da prosperidade".[3] O texto foi publicado em meu *blog* pessoal e teve muitos leitores. Tornou-se viral de uma forma que eu nunca havia esperado. Em 2017, quando o termo e o assunto já estavam sendo mais discutidos, publiquei o mesmo artigo no *blog* do ministério Dois Dedos de Teologia, e a repercussão, novamente, foi expressiva. Aquele era, de fato, um problema percebido por muita gente. Nesse período, conheci os vídeos do pastor Tiago Brunet. Suas mensagens e conferências sobre destino, saúde emocional, saúde financeira, saúde espiritual e ministério relevante reforçaram minha ideia de que precisávamos tratar a TC como a nova teologia da prosperidade. Em um dos vídeos, Brunet dizia o seguinte: "Eu não sei se dinheiro traz felicidade, mas que pobreza traz uma tristeza danada, eu tenho certeza. [...] Eu não sei se Deus me chamou para ser rico, mas para ser pobre eu tenho certeza que ele não me chamou".[4] Comecei a tomar conhecimento da face mais materialista da TC.

Com o tempo, notei surgirem algumas manifestações sobre o assunto. Augustus Nicodemus, por exemplo, falou a esse respeito em entrevista com Felipe Niel.[5] Alguns vídeos sobre o tema, como o do Teologueiros,[6] foram publicados no YouTube. O diálogo caminhava a passos lentos, mas, em 2019, o debate cresceu. O motivo foi a grande popularização das mensagens antropocêntricas de pregadores como Deive Leonardo e Victor Azevedo. Logo, eles passaram a ser chamados de pregadores da TC — e com razão. Desta vez, porém, o alvo de suas mensagens não era o sucesso material, mas a satisfação emocional. Nos vídeos de Deive Leonardo, é perceptível que o conteúdo, a retórica, o ambiente, o fundo musical que acompanha a pregação e a edição de vídeo são feitos para sensibilizar e suprir carências emocionais. Esses pregadores estão focados em fazer seus espectadores se sentirem importantes e valorizados, mesmo que, para isso, tenham de tirar Deus do centro para colocar o homem no lugar.

Duas mensagens são emblemáticas para representar esse tipo de abordagem. A primeira, de Deive Leonardo, tem o título "Importante".[7] Ele inicia com a leitura de 1Pedro 1.18 e, em seguida, afirma que nós somos o centro dessa palavra. Ao apontar para a Bíblia, ele diz: "Você é o centro disso aqui". Deive avisa que explicará melhor essa sentença, mas o que vem em seguida é ainda mais estranho. Ele diz: "No Novo Testamento, Jesus é o centro, Jesus é o centro da Bíblia, Jesus é o centro do evangelho, mas, de Jesus, você é o centro! Do coração de Jesus, você é o centro!". Tratarei melhor disso no próximo capítulo, mas já é possível compreender o problema. A segunda mensagem é de Victor Azevedo, numa conferência em sua igreja. Nela, Victor diz: "Quando eu olho para Deus, eu sou tão justo que eu não me sinto inferior a Deus".[8] O público da internet, os teólogos e pastores reagiram em massa contra essa fala. Realmente, não era possível ficar calado. Nessa experiência, eu despertei para o lado mais emocional da TC.

Creio que, agora, podemos definir melhor o que é a teologia do *coaching*. Para evitar qualquer confusão com o termo "teologia", permita-me, antes, dizer o que ela não é. A TC não é uma teologia no sentido de método hermenêutico ou teologia bíblica (dispensacionalismo, aliancismo, teologia da nova aliança). Não é uma teologia no sentido de sistema soteriológico (calvinismo, arminianismo). Não é uma teologia no sentido histórico ou denominacional (patrística, puritana, presbiteriana, batista, pentecostal). Também não é uma teologia local ou identitária (latino-americana, asiática, negra, feminista). Em outras palavras, a TC não recebe o nome de teologia por nascer de um método teológico específico e ter como objetivo produzir um tipo específico de pensamento teológico.

Também não pense que o uso de "teologia" indica a existência de um grupo de teólogos estudando e produzindo teologia do *coaching*. Felizmente, não existe algo como uma sociedade ou um seminário teológico do *coaching*. Não imagine essa forma de organização institucional. Não duvido que exista alguma organização, mas não desse tipo. Também não imagine que TC signifique que todos os seus pregadores são *coaches*. Alguns deles são, outros não. Não estamos aqui, portanto, querendo tornar o problema maior do que ele é. Sabemos que não existe uma organização metodológica e estrutural. Não estamos criando espantalhos apenas para produzir um alerta falso e chamar a atenção.

Sendo assim, como podemos definir a TC? Prepare seu marca-texto. A teologia do *coaching* pode ser tratada como uma forma de abordar os ouvintes. É, portanto, uma abordagem, não uma teologia propriamente dita. É a abordagem que trata o homem, seus desejos materiais e/ou carências emocionais, como o foco da pregação e do ministério pastoral ao oferecer, por meio de textos bíblicos mal utilizados, uma narrativa divina que centraliza o homem ao dizer que ele é capaz em poder e importante em valor. O termo teologia é usado de forma didática para relacionar igreja, ministério, pregação e Bíblia com foco e mensagem do *coaching* de palco. É essa relação que detalharemos adiante.

QUAL É O PROBLEMA COM O *COACHING*?

Antes de ingressar no seminário e cursar teologia, eu me graduei em administração de empresas. As áreas de atuação que mais estudei durante o curso foram *marketing* (principalmente o digital) e consultoria. Entre os anos de 2009 e 2012, esses campos estavam em plena expansão, e o *coaching* ainda não havia "explodido". Mas, pouco tempo depois, aconteceu. Eu diria que o grande mercado de *coaching*, hoje, é formado por *marketing* digital padronizado, ferramentas de consultoria empresarial, discurso motivacional e ajuda emocional. Eu domino, principalmente, os dois primeiros elementos e, graças à experiência de estudo e trabalho, consigo discernir adequadamente o que é bom e ruim no mercado atual. Há boas ideias, ferramentas e métodos de administração, *marketing* e desenvolvimento pessoal no *coaching*. Eu não me incomodo com o *coaching* sério e prático, feito com conhecimento e experiência e que atua dentro da realidade. Se você trabalha ou deseja trabalhar nessa área, ofereça esse tipo de serviço. Mas, então, qual é o grande problema?

Não perderei tempo com charlatanismos como o *coaching* quântico. Tratemos de assuntos mais sérios. Infelizmente, temos visto esse mercado se tornar um misto de promessas ilusórias, fórmulas mágicas e emocionalismo religioso. Promessas de riqueza, crescimento empresarial e mudança de vida são feitas de forma irresponsável por meio de jargões vazios como "você pode, basta acordar cedo e trabalhar duro" ou "riqueza é questão de mentalidade, então pense como um milionário". Para alcançar essas metas prometidas, existem as fórmulas mágicas: um método de *marketing* digital, um cronograma de trabalho semanal, uma nova forma de pensar e falar, cursos que devemos fazer etc. Cada *coach* cria sua receita, mostra depoimentos de sucesso e vende o produto ou serviço aos interessados. É assim que o *coaching* tem se tornado uma ferramenta para ensinar o que você já sabe cobrando o dinheiro que você não tem.

Por fim, para aqueles que não alcançaram o sucesso prometido (a grande maioria), existe a ajuda emocional religiosa, um trabalho de motivação e consolo para os que ainda estão tentando e fracassando, e que precisam continuar acreditando para que continuem pagando pelos eventos de *coaching*. Denomino "religiosa", pois há um ambiente litúrgico nesses encontros. Pessoas escutam mensagens de motivação e consolo emocional, reúnem-se para ouvir testemunhos dos vencedores, cantam juntas, bradam frases de vitória e criam comunidades de ajuda mútua. E o principal: há uma figura messiânica na qual todas aquelas pessoas depositam suas esperanças e da qual esperam receber todo o conhecimento para alcançar o paraíso pessoal.

Aí está o grande problema com boa parte do *coaching* atual. Como as promessas e fórmulas são sempre as mesmas, o *coaching* tem se especializado, cada vez mais, na ajuda emocional. No artigo sobre empreendedorismo de palco citado anteriormente, o autor propõe um exercício: vá a um evento de *coaching* e anote o número de discursos práticos e o número de discursos emocionais — o último tipo está muito mais presente. Isso, aliás, vem gerando conflitos com profissionais da psicologia. Em 2018, durante a transmissão da novela da Rede Globo *O outro lado do paraíso*, uma cena patrocinada pelo Instituto Brasileiro do *Coaching* mostrou uma personagem participando de uma sessão de *coaching* com hipnose para auxiliar na recuperação de um trauma causado por abuso sexual.[9] Na ocasião, o Conselho Federal de Psicologia emitiu uma nota sobre o desserviço que essa cena representou para a população brasileira.

> É consenso no Brasil de que pessoas com sofrimento mental, emocional e existencial intenso devem procurar atendimento psicológico com profissionais da Psicologia, pois são os que tem a habilitação adequada. Isso é amplamente reconhecido por diversas políticas públicas, entre elas o Sistema Único de Saúde (SUS) e o Sistema Único

de Assistência Social (SUAS), que empregam essas profissionais em larga escala. Mesmo na saúde suplementar, o exercício do cuidado psicológico é reconhecido e regulamentado. Há normas da Agência Nacional de Saúde Suplementar (ANS) que obrigam os planos de saúde a oferecerem atendimento por profissionais da Psicologia.[10]

Apesar desse consenso, pessoas estão buscando *coaches* a fim de obter ajuda mental e emocional. As promessas grandiosas, o caminho mais curto e o *marketing* das fórmulas mágicas ajudam a explicar esse fenômeno. O *coaching* tem se tornado um mercado emocional no qual o cliente paga caro para ouvir o quanto ele é importante, útil e capaz enquanto "aprende" a treinar suas emoções para se sentir assim. Provavelmente, você concorda que tudo isso é estranho e, não raras vezes, soa patético. Então por que milhares de pessoas estão investindo nisso e fazendo seus "*coaches*-gurus" milionários? A resposta não é difícil: elas estão emocionalmente quebradas e foram ensinadas que juntar e reorganizar os cacos significa ter o sucesso que sempre sonharam.

Podemos entender melhor tal cenário com a ajuda do filósofo sul-coreano Byung-Chul Han. Em seu livro *Sociedade do cansaço*, encontramos uma definição interessante: estamos vivendo numa sociedade de desempenho.[11] Han argumenta que, nessa sociedade, as pessoas se tornaram sujeitos de desempenho e produção, sendo empresários de si mesmos. Você não precisa aprovar todas as ideias do autor, mas basta uma olhadela nos conteúdos de *coaching* para perceber que, realmente, eles estão "ensinando" a buscar grandes negócios, produzir riqueza em tempo acelerado, ser multitarefa e fazer todo o possível para alcançar o sucesso, tornar-se autoridade e atingir a melhor versão de si mesmo. Isso cansa o corpo, a mente e a alma.

Para perceber esse tipo de sociedade no Brasil, é suficiente olhar para a lista dos quinze livros mais vendidos em nosso país em 2019.[12] Entre eles, estão títulos como *A sutil arte de ligar o f*da-se, Do mil ao milhão sem cortar o cafezinho, Seja f*da!, O poder da autorresponsabilidade, Os segredos da mente milionária, O poder da ação: faça sua vida ideal sair do papel, Pai rico, pai pobre, Mindset* e *Mais esperto que o diabo*. Entre os quinze mais vendidos, não há sequer um livro de ficção, filosofia, ciências, clássico da literatura, poesia ou política. A grande maioria são livros motivacionais — alguns com conteúdos sem dúvida interessantes — que prometem saúde emocional e o caminho do sucesso e da riqueza. Mas é problemático que as pessoas estejam lendo apenas em busca disso. Essa é uma triste realidade de nossa sociedade.

Para Han, os resultados de uma sociedade como essa são vistos na depressão, no transtorno do déficit de atenção com hiperatividade (TDAH) e na síndrome de *burnout*. Não é difícil imaginar de onde vêm essas consequências. Se queremos fazer tudo de forma acelerada, isso nos levará à hiperatividade com falta de foco e atenção. O excesso de trabalho e o modo multitarefa nos encaminharão ao esgotamento. E a idolatria do sucesso nos levará à depressão quando a realidade do fracasso bater à porta. Han é cirúrgico ao dizer que "a depressão é o adoecimento de uma sociedade que sofre do excesso de positividade".[13]

> A sociedade do desempenho vai se desvinculando cada vez mais da negatividade. Justamente a desregulamentação crescente vai abolindo-a. O poder ilimitado é o verbo modal positivo da sociedade do desempenho. O plural coletivo *Yes, we can* expressa precisamente o caráter de positividade da sociedade do desempenho. No lugar de proibição, mandamento ou lei, entram projeto, iniciativa e motivação. A sociedade disciplinar ainda está dominada pelo não. Sua negatividade gera loucura e delinquentes. A sociedade do desempenho, ao contrário, produz depressivos e fracassados.[14]

Sim, pessoas estão quebradas. Há cacos por todos os lados e não é fácil juntá-los. O *coaching* tem aparecido como uma solução milagrosa para o problema que ele mesmo contribui para criar. Somos incentivados por uma positividade de desempenho que diz que somos importantes e merecedores e que podemos conquistar e realizar sonhos, quando a vida, constantemente, nos prova o contrário. Nesse abismo entre expectativa e realidade criado pelo próprio *coaching* é que este se coloca como consolador emocional e motivador de novas tentativas. É por isso que o sucesso dessa abordagem chama a atenção e influencia vários setores. O *coaching* tem sido o veneno que adoece a alma e, ao mesmo tempo, o remédio que promete a cura. Isso tem produzido dependentes emocionais num círculo vicioso para muitos e lucrativo para poucos.

Aqui está o efeito mais triste disso: alguns pregadores e igrejas perceberam, corretamente, que almas estão doentes pela idolatria do sucesso, do desempenho e da positividade, mas em vez de oferecerem o bom e tradicional evangelho bíblico eles estão alterando a mensagem divina para um outro evangelho, que é emocional e antropocêntrico. Pregadores e igrejas estão sendo influenciados por esse espírito da época dos empreendedores emocionais. Esse é o ambiente em que a TC se manifestou e tem crescido. Pessoas quebradas pela idolatria do sucesso, do desempenho e da positividade desejam ouvir, constantemente, que são importantes e capazes. A TC substitui o remédio que arde pelo placebo que ilude. Não produz convertidos, produz dependentes. E, assim, ela se espalha.

POR QUE SUBSTITUTA DA TEOLOGIA DA PROSPERIDADE?

Mesmo com esse cenário, não seria um exagero chamar essa abordagem de "a substituta da teologia da prosperidade"? Não seria exagero comparar os nomes citados com Edir Macedo, Silas Malafaia e outros homens que vendem a fé? Respondo com uma citação de Tiago Brunet numa pregação chamada "Descubra o seu destino":

> Deus tem um lápis, mas você tem a borracha das decisões. Ele planeja coisas para sua vida e, de diversas formas, inclusive pelas suas decisões, você pode apagar o que ele escreveu para você. E todos os planos de Deus são de bem e não de mal. A conspiração divina, Pai, Filho e Espírito Santo, está no céu conspirando a seu favor, sempre para você se sair bem, sempre para você ganhar, sempre para você sair do buraco, sempre para o casamento melhorar, sempre para a solidão ir embora, sempre para a prosperidade chegar, sempre para o bem. Mas por que as coisas dão errado? Porque, de vez em quando, a gente apaga parte do plano.[15]

Essa não é apenas uma afirmação mal colocada de Brunet. Não se trata de um deslize ou de palavras mal escolhidas. Essa é a base de seu ministério. Brunet tem espalhado a mensagem de que Deus planejou prosperidade para seus filhos, mas que são as nossas decisões que destravam ou não esse bom destino divino para nós. Nessa pregação, ele chega a comparar Deus com um pai humano, que faz planos maravilhosos para seus filhos, mas que não tem controle sobre o poder de decisão deles. É por isso que sua conferência se chama Conferência Destino. É por isso que ele criou o Instituto Destiny e a Casa de Destino, que oferecem cursos e mentorias para igrejas e empresas. Todo o seu ministério se baseia nessa ideia de que, tomando as decisões corretas e agindo de forma correta, nós destravamos ou liberamos o destino de prosperidade que Deus traçou para nós.

Ficou clara a semelhança com a pregação da teologia da prosperidade? "Sim ou não?"[16] Jones e Woodbrigde resumiram a teologia da prosperidade desta forma:

> De acordo com esse novo evangelho, se os crentes repetirem confissões positivas, concentrarem seus pensamentos e gerarem fé suficiente, Deus lançará bênçãos sobre a vida deles. Esse novo evangelho afirma que Deus deseja e até promete que os crentes terão uma vida saudável e financeiramente próspera.[17]

Perceba que a essência é a mesma: Deus tem promessas ou planos de prosperidade para o homem, que, por sua vez, precisa agir corretamente para acessar ou liberar essas bênçãos prometidas ou planejadas por Deus. Em ambos os ensinos, a pobreza é tratada como algo que Deus não planejou para nós. Na teologia da prosperidade, o que destrava as bênçãos de Deus são as declarações de fé e o dízimo; na TC, são as ferramentas do *coaching* e as decisões corretas. Pablo Marçal, outro orador que mescla *coaching* e teologia bíblica e profere afirmações estranhas à fé cristã, disse: "Por que o Senhor não coloca coisas nas suas mãos? Porque você é improdutivo".[18] Ou seja, é necessário passar pelo *coaching* para se tornar produtivo e receber as bênçãos de Deus. Na teologia da prosperidade, as promessas são de riqueza e saúde; na TC, são de prosperidade financeira, saúde emocional e vida equilibrada. Na teologia da prosperidade, o fiel precisa de fé; na TC, de produtividade.

Em seu livro *O evangelho da prosperidade*, Alan Pieratt levanta os três principais tópicos de ensino da teologia da prosperidade: autoridade espiritual; saúde e prosperidade; e confissão positiva.[19] A autoridade espiritual aponta para o ensino de que Deus tem os seus escolhidos (ungidos) para receber visões, dons e mensagens especiais diretamente dele, e que, por isso, devem ser autoridade sobre a igreja. São eles que dizem como alcançar as bênçãos de Deus. Perceba a semelhança com o mundo do *coaching*. É muito comum encontrarmos aulas e cursos sobre construção de autoridade. Os *coaches* e pregadores da TC se posicionam como conhecedores de técnicas, ferramentas e métodos revolucionários que levarão seus clientes ao sucesso desejado. Eles não receberam uma visão de Deus, mas estudaram por anos, viajaram por vários países, entrevistaram diversos líderes e pastores de sucesso, e assim por diante. Tudo para lhe mostrar o caminho de certezas que a Bíblia não dá.

Saúde e riqueza são as promessas da teologia da prosperidade. Doença e pobreza são tratadas como maldições que alcançam o crente quando algo em sua vida de fé está errado. A ideia é que Deus já tem preparado, para seus filhos, saúde e prosperidade financeira, mas só temos acesso a isso quando, verdadeiramente, cremos e agimos profeticamente. É necessário, aliás, plantar (dizimar) para colher as bênçãos no futuro. No neopentecostalismo, muito se fala sobre tomar posse das promessas e bênçãos que Deus tem para seus filhos. Pablo Marçal usa essa mesma linguagem numa de suas palestras, na qual diz que "a riqueza é natural" e que "Deus deu os princípios".[20] Para ele, basta seguir tais princípios que a riqueza acontecerá. E complementa dizendo que "pobreza é resistência",[21] ou seja, se ainda não enriquecemos, é porque estamos resistindo, de alguma forma, ao plano de Deus. Paulo Vieira, pregando numa igreja em Orlando, disse: "Quem ama a Deus e vive o propósito dele prospera. Quem ama a Deus e vive o seu propósito prospera, tem sorte e tudo dá certo".[22] Tudo isso é teologia da prosperidade em roupagem menos neopentecostal e mais comercial.

Por fim, a confissão positiva é o mecanismo pelo qual os crentes podem ter acesso às bênçãos de Deus. Pieratt explicou esse ensino em três estágios: conhecimento, fé e confissão propriamente dita.[23] Primeiramente, o crente precisa conhecer as bênçãos que foram prometidas e estão disponíveis. Depois, é necessário ter fé na realidade delas. O fiel é chamado a exigir tais bênçãos e nunca duvidar. Finalmente, para verbalizar sua fé e receber a bênção, o crente é chamado a confessar e declarar o recebimento dessas bênçãos. Palavras positivas devem ser expressas para atrair prosperidade e saúde. Novamente, há uma semelhança com a TC. Perceba este trecho de Pablo Marçal, em que fala de sua participação numa viagem para a qual não havia sido convidado:

> Quando eu descobri a viagem por um dos participantes, na mesma hora eu fechei os meus olhos e construí a fotografia da viagem, e eu me vi na viagem. [...] E, naquela hora, eu falei: "Nada vai me tirar daqui". Deixa eu ensinar uma coisa para vocês: se Deus te der uma visão, é porque o negócio existe. Se você não vê, aprenda a exercitar sua mente para você começar a enxergar, porque, se enxergar, existe. Se a sua visão for clara sobre uma coisa que você não experimentou, essa coisa já existe, é só você pegar, é seu.[24]

Um puro exemplo de confissão positiva. Ele afirma que Deus lhe deu a visão da viagem, ou seja, ele conheceu a bênção que Deus prometeu. Ele se vê na viagem, não duvida e exerce fé na visão. Em seguida, ensina que, se a visão foi dada, é porque a dádiva já existe, basta pegar. Se você, leitor, quiser algo mais explícito que isso, mais teologia da prosperidade que isso, então feche este livro e entre na Universal do Reino de Deus mais próxima. De todo modo, segue mais um exemplo. Na palestra de Paulo Vieira já citada anteriormente, algo estranho acontece no final. Vieira faz uma espécie de ritual místico para alcançar a prosperidade.[25] Ele pede que as pessoas olhem para o passado de humilhação e dificuldade e também visualizem as bênçãos preparadas por Deus. Em determinado momento, solicita que as pessoas estendam a mão e sintam as bênçãos. No final, convoca todos a gritarem "basta", em alto volume, para a pobreza — pura confissão positiva.

Por todos esses motivos, tenho convicção de que a teologia do *coaching* é a substituta da teologia da prosperidade, inclusive na abordagem emocional. Vivemos numa época em que a prosperidade emocional é muito valorizada e as pessoas buscam igrejas para se sentirem em paz com suas emoções. Os eventos e cursos de *coaching* também estão lotados pelo mesmo motivo. Pessoas quebradas querem ouvir que são importantes, boas, poderosas. Estão em busca de alimento constante para sua autoestima. Nesse contexto, falas como as de Deive Leonardo e Victor Azevedo fazem todo o sentido para suas audiências. Essa pregação de prosperidade emocional tem usado a Pessoa de Deus como instrumento para uma boa autoimagem. Quanto mais nos é dito que Deus vive em função de nós e depende de nós, melhor nos sentimos. Quando dizem que estamos no mesmo nível de Deus, mais satisfeitos ficamos. Infelizmente, é isso que tem acontecido nesses ambientes.

Enquanto a teologia da prosperidade diz que não nascemos para ser cauda, mas cabeça, a TC diz: "Quando se trata de você, se trata do ponto fraco de Deus".[26] Enquanto a teologia da prosperidade diz que você deve ser rico porque é filho do dono do ouro e da prata, a TC diz: "Como é que você diminui e Jesus cresce se ele, na terra, é você?".[27] A TC é exatamente o oposto da teologia de João Batista. Enquanto o pregador do deserto encontra sentido e alegria na vida dizendo: "Convém que ele cresça e que eu diminua" (Jo 3.30), atualmente muitas pessoas procuram por sentido e cura emocional diminuindo Deus para que elas cresçam e se sintam melhores. É a expressão pós-moderna do pecado original.

Apresento um último exemplo para arrematar esta seção. Deive Leonardo pregou, em dezembro de 2019, sobre os pensamentos e os caminhos de Deus. Posteriormente, o vídeo da pregação foi publicado com o título "2020 será melhor do que você imagina". Nele, Deive usa o texto de Isaías 55.8-9 para prometer que um 2020 com Jesus será melhor do que podemos imaginar. Assim diz o texto bíblico:

> "Porque os meus pensamentos
>   não são os pensamentos
>   de vocês,
> e os caminhos de vocês
>   não são os meus caminhos",
>   diz o Senhor.
> "Porque, assim como os céus
>   são mais altos do que a terra,
> assim os meus caminhos
>   são mais altos do que os seus caminhos,
> e os meus pensamentos
>   são mais altos do que
>   os pensamentos de vocês."

Logicamente, a afirmação de que um ano com Jesus será melhor do que um ano sem Jesus não é questionável. Porém, dependendo do que o termo "melhor" conota, a frase se torna discutível. O exemplo que Deive expõe é o início humilde de sua carreira e o posterior alcance que ele conquistou. Ele sonhou pequeno, mas Deus tinha planos maiores para ele. É aí que começa o problema. O texto bíblico não fala de planos materiais e pessoais. Fala da nova aliança. "Deem ouvidos e venham a mim; escutem, e vocês viverão. Porque farei uma aliança eterna com vocês, que consiste nas fiéis misericórdias prometidas a Davi" (Is 55.3).

Deus está afirmando que seu plano de redenção é diferente, maior que os planos humanos, e está chamando as pessoas ao arrependimento, a uma mudança de postura. John N. Oswalt comenta que "caminhos" significa padrão de comportamento e "pensamentos" se refere a valores e percepções.[28] Esse paralelismo é um chamado à mudança de mentalidade e comportamento. É um chamado à moral e à ética da nova aliança, semelhantes às divinas. O contexto aponta para esse significado: "Que o ímpio abandone o seu mau caminho, e o homem mau, os seus pensamentos; converta-se ao SENHOR, que se compadecerá dele, e volte-se para o nosso Deus, porque é rico em perdoar" (Is 55.7).

É plausível que o pregador tenha cometido um erro bíblico sem intenção de causar engano aos ouvintes. Quem nunca fez isso? Mas o erro pode ter sido ocasionado justamente em razão do foco em agradar as pessoas e motivá-las para o sucesso nos planos profissionais e pessoais. A verdade é que não há, no texto, promessas de um ano materialmente melhor. Não há sequer promessas materiais. Entregar os planos para Jesus não significa que ele fará ainda mais e melhor de acordo com padrões materiais e pessoais. A teologia do *coaching* pode ser mais bonita, mais palatável, mais jovem e mais descolada, mas continua carregando as ilusões da teologia da prosperidade.

FILHAS DE UM MESMO PAI

Se você ainda tem dúvidas sobre a grande semelhança entre teologia da prosperidade e teologia do *coaching*, concentre-se nesta última parte do capítulo. De um ponto de vista histórico, pretendo mostrar que ambas são filhas do mesmo pai. Veremos que a teologia da prosperidade e a literatura motivacional e de autoajuda centrada no poder da mente e do pensamento positivo surgiram do mesmo berço — o movimento americano do século 19 chamado Novo Pensamento. A pesquisadora Monica Marques escreveu um artigo sobre esse tema. Seu principal argumento é o seguinte:

> O Novo Pensamento pode ser visto como chave para a compreensão de dois de seus ecos contemporâneos: a teologia da prosperidade e a literatura de autoajuda mentalista. Se o movimento principiou mirando apenas a cura, logo surgiram publicações que apregoavam o poder do pensamento também para a riqueza e o sucesso. A fórmula vendia e parecia se afinar com as aspirações da época.[29]

Uma breve análise histórica desse movimento será suficiente para notar as semelhanças entre esse "ancestral comum" e as teologias da prosperidade e do *coaching*. O movimento do Novo Pensamento (MNP) surgiu ainda no século 19. Não era uma igreja nem uma denominação, mas usava elementos cristãos e ganhou espaço nas igrejas, mesmo com ideias sincréticas com outras religiões. Os grandes influenciadores desse movimento foram Emanuel Swedenborg, Phineas Parkhurst Quimby, Ralph Waldo Trine e Norman Vincent Peale. Apesar das diferenças entre o grupo, todos enfatizavam a ideia de que a natureza última da realidade está baseada no poder da mente.

> Acreditando que o mundo mental era a única verdadeira realidade e o mundo material sua criação, esses supostos especialistas da alma sentiram que poderiam utilizar suas ciências recém-descobertas para libertar o corpo humano de seus impedimentos materiais, incluindo doenças e enfermidades. Somente ao descobrir a liberdade pessoal e a individualidade dentro da natureza interior ou

espiritual, e fundir essa individualidade com Deus ou o Um, poderia o indivíduo encontrar saúde e felicidade duradouras.[30]

Swedenborg (1688-1772) ficou conhecido como o avô do MNP. Ele alegava ter recebido uma nova revelação diretamente de Deus e, por isso, escreveu um livro chamado *Segredos celestiais*. Ademais, dizia ter se comunicado diversas vezes com Moisés, Paulo e até mesmo Lutero. Para finalizar a lista de semelhanças com líderes da teologia da prosperidade e do neopentecostalismo, Swedenborg afirmava ter o poder de ver as realidades do céu, do inferno e de outras dimensões do mundo espiritual. Jones e Woodbridge resumiram seu pensamento em pontos centrais: Deus como força mística, a mente humana com a capacidade de controlar o mundo físico e a salvação baseada em obras.[31] Essas ideias se tornaram fundamentais no MNP.

Outros autores acrescentaram ideias e formaram o pensamento desse movimento. Quimby defendeu que doenças são distúrbios na mente. "Se eu creio que estou doente, estou doente, pois meus sentimentos são minha doença, e a minha doença é minha crença, e minha crença é minha mente", afirmou ele. "Portanto, todas as doenças estão na mente ou na crença."[32]

No início do século 20, essa ideia já estava sendo aplicada ao sucesso financeiro, e surgiram muitos livros sobre o assunto. Ralph Waldo Trine foi um dos principais escritores e influenciadores da época, mas, mesmo crendo em Deus, sua ideologia estava bem longe das Escrituras.

O caso de Norman Vincent Peale, muito conhecido por seu livro *O poder do pensamento positivo*, chama a atenção. Peale era pastor da Marble Collegiate Church, igreja de denominação reformada holandesa em Nova York. Sua adesão aos ideais do MNP é um exemplo de como esse pensamento se introduziu na igreja. É notável que tenha entrado numa denominação histórica, calvinista e conservadora. Isso nos alerta para o perigo que todas as igrejas correm caso não haja uma defesa da fé cristã contra doutrinas estranhas.

Jones e Woodbridge resumiram "a confissão" do MNP em cinco pilares. O primeiro, uma visão distorcida de Deus. Além de rejeitar a Trindade e defender uma espécie de panteísmo, a principal ideia sobre Deus era a de que ele seria uma força impessoal, suscetível a ser manipulada. Em segundo lugar, uma elevação da mente sobre a matéria. O grande segredo da vida consistiria em moldar a realidade conforme a maneira de pensar. O terceiro pilar seria uma visão exaltada da humanidade: não há praticamente nenhuma menção do pecado no MNP. Em penúltimo lugar, o foco em saúde e riqueza. Por fim, uma visão herética de salvação baseada nas obras.[33] Assim os autores resumiram esse movimento:

> O Novo Pensamento crê que Deus é uma força viva impessoal, que a mente controla a matéria e que pessoas são (ou no mínimo podem se tornar) deuses. Na prática, uma vez que a mente humana é onipotente, os pensamentos desempenham papel vital tanto em permitir e remover doenças físicas como em afetar grandemente a conquista de sucesso financeiro.[34]

Essek William Kenyon foi fortemente influenciado por esse movimento ao estudar na Escola Emerson de Oratória, em Boston, um grande centro de divulgação do Novo Pensamento. Foi na literatura dessa corrente que Kenneth Hagin se baseou para escrever seus livros e dar início ao movimento da palavra da fé. Hagin é considerado, por muitos, o pai da teologia da prosperidade, tendo bebido da fonte do Novo Pensamento. Marques afirma que, paralelamente a isso, a literatura de autoajuda através do poder da mente também foi crescendo e se desenvolvendo.

> Parece ser apenas no início do século XX que o movimento acaba por desdobrar-se em uma importante vertente ou corrente da chamada literatura de autoajuda. O poder da mente era proposto como recurso para a obtenção de objetivos específicos de sucesso, em livros de larga tiragem, que iam de encontro às aspirações da época. [...] No cenário contemporâneo, a literatura de autoajuda alicerçada no poder da mente, nas antigas ideias do New Thought [Novo Pensamento], volta à ordem do dia.[35]

Recomendo fortemente a leitura do artigo de Monica Marques (citado nas referências), mas creio que já é possível perceber a grande semelhança com a teologia da prosperidade. Ademais, creio que o leitor já pode correlacionar essas ideias com o que muitos *coaches* — cristãos ou não — estão ensinando e vendendo hoje. John Haller Jr. analisou de maneira contundente o movimento ao afirmar que "o Novo Pensamento representava uma disposição mental que classificava emoções e intuição como equivalentes a razão e experiência".[36] Essa parece a descrição de muitas pregações e palestras ministradas em igrejas que estão surfando na onda do *coaching*. Pablo Marçal, por exemplo, entendeu esse apelo emocional que vivemos e ensina que a sabedoria para gerar riqueza está na emoção, não na razão.[37] Marçal interpreta Eclesiastes 10.2 ("o coração do tolo o inclina para a esquerda", A21) fazendo uso da neurociência, ao afirmar que o lado esquerdo do cérebro é o lado da razão, enquanto o lado direito é o da emoção. Todo esse ensino está enraizado no movimento do Novo Pensamento. Marques resumiu as semelhanças entre teologia da prosperidade e TC da seguinte forma:

A teologia da prosperidade e a autoajuda mentalista partilham da crença de que pensamentos ou palavras são capazes de transformar o mundo ao redor e ensinam procedimentos, pretensamente, capazes de submeter a realidade externa aos desejos humanos. Estes procedimentos acabam por acentuar a importância desta mesma realidade. Estamos, provavelmente, diante de ecos do Novo Pensamento, especialmente relevantes em um contexto em que o sucesso material é algo tão destacado, a ponto de se tentar negar a independência das coisas em relação ao sujeito que as deseja.[38]

Fiz questão de usar o trabalho acadêmico de Marques para que o leitor compreenda que essa semelhança não está sendo armada ou forçada pelos autores deste livro. Aqui temos o exemplo de uma pós-doutoranda da Universidade de São Paulo (USP) — na época da publicação do artigo — que fez uma pesquisa sociológica sobre a origem desses movimentos. Não se trata de mero jogo de palavras para chamar a atenção e vender livros. Não se trata de birra com outros pregadores. Trata-se de uma análise séria nas áreas sociológica, histórica e teológica. Estamos afirmando, seriamente, que teologia da prosperidade e teologia do *coaching* são irmãs, filhas do mesmo pai. E, mesmo não sendo gêmeas, a caçula guarda muitas semelhanças com a irmã mais velha.

CONCLUSÃO

Espero que este capítulo tenha aberto seus olhos para o que é a teologia do *coaching* e por que estamos alertando acerca de seu perigo e de sua semelhança com a teologia da prosperidade. A seguir, essas semelhanças estão dispostas de maneira ainda mais didática.

	TEOLOGIA DA PROSPERIDADE	TEOLOGIA DO *COACHING*
PRINCIPAL ALVO DIANTE DE DEUS	Riqueza e saúde física	Riqueza e saúde emocional
MEIO PARA ATINGIR O ALVO	Fé, palavras positivas e dízimos/ofertas	Fé, pensamentos positivos e emoções equilibradas
COMO O PREGADOR É VISTO	Autoridade ungida por Deus e inquestionável	Guru que detém o método correto para o sucesso

Meu desejo é que você conclua a leitura destas páginas consciente de que precisamos confrontar essa abordagem que tem invadido igrejas e enfraquecido púlpitos. Espero que, se você for adepto dela, haja arrependimento por ter propagado essa mensagem centrada no homem e em seus desejos idólatras por prosperidade. No próximo capítulo, apresentarei como a TC difere, teologicamente, da teologia da prosperidade e por que considero, em alguns pontos, a primeira pior que a segunda.

= 3 =

O deus carente e limitado da hipergraça: Os problemas teológicos do antropocentrismo de palco

Mistério, doutrina e heresia. Essas são três palavras dignas de nossa atenção neste capítulo. Os ombros largos de Alister McGrath serão meu apoio para trabalhar os três conceitos e aplicá-los a uma crítica teológica da teologia do *coaching* (TC). Essa abordagem, definida no capítulo anterior, merece ser chamada de herética? É o que veremos.

Antes, contudo, é fundamental entender a relação entre fé cristã e mistério. Visualize a vida cristã como uma experiência de fé em Deus, relacionamento com Deus e vida transformada por Deus. É isso que ela é. E ela acontece por meio de uma revelação de Deus que permite experimentá-lo e compreendê-lo. Agora, atente-se: experimentar Deus e compreender Deus são coisas diferentes. Por exemplo, você pode experimentar a salvação pela graça e sentir a paz e a transformação de Deus em sua vida. Essa é a experiência. Como isso ocorreu? Como Deus o alcançou e o transformou? Você pode encontrar algumas respostas na revelação escrita de Deus, mas não pode compreender tudo. Essa é a compreensão limitada que temos, não por alguma incapacidade didática de Deus, mas pelos limites de nossa mente para conhecer o transcendente. É entre a experiência e a compreensão que reside o mistério. McGrath o define como "alguma coisa tão grandiosa que não pode ser captada pela mente humana".[1] É a partir desse conceito que entendemos o papel da doutrina.

Podemos pensar em doutrina como um conjunto de conceitos que visam a compreensão de determinado objeto. A doutrina tem sua base em uma fonte de informação e serve para ensinar sobre o objeto em questão. A doutrina cristã, por exemplo, é o conjunto de crenças e conceitos sobre o cristianismo, tendo como base a revelação de Deus, com o objetivo de ensinar a fé cristã. Quando falamos de Deus e do cristianismo, a doutrina se torna serva do mistério. Seu papel é o de preservá-lo. Ela faz isso ao compreender, defender e propagar a revelação e ao estabelecer os limites dessa compreensão, defesa e propagação. A doutrina preserva o mistério ao torná-lo mais acessível e ao protegê-lo de cegas especulações e afirmações.

Aqui, convém citar a definição de heresia de McGrath: "Uma heresia é uma doutrina que no final acaba destruindo, desestabilizando ou distorcendo um mistério, em vez de preservá-lo".[2] Creio que isso acontece de duas maneiras. A heresia pode ser produzida por falta de conhecimento ou pela extrapolação do conhecimento. Um herege pode desconhecer a revelação ou compreendê-la erroneamente. Pode também ser herege aquele que vai além do que é possível conhecer. Muitas vezes, as duas práticas andam juntas. A doutrina do arianismo, por exemplo, não respeitou o mistério entre monoteísmo e divindade de Cristo. Os arianos tentaram extrapolar o conhecimento revelacional para explicar essa tensão e erraram ao não compreender, pelo texto sagrado, que Jesus possui a mesma identidade divina do Deus eterno e criador. Nas palavras de McGrath:

A teologia cristã tenta lançar uma rede envolvente e protetora sobre a experiência cristã fundamental da revelação e ação de Deus na vida, morte e ressurreição de Jesus de Nazaré. As declarações doutrinais foram desenvolvidas para preservar e defender o núcleo da visão cristã da realidade. Esse processo, já em curso no NT, foi consolidado e estendido durante a era patrística. Mas, e quando sobre uma declaração doutrinal, cujo primeiro objetivo era defender e preservar — e, no princípio, acreditava-se funcionar assim —, descobre-se que, na verdade, ela enfraquece e corrompe?[3]

Quando os principais mistérios da revelação de Deus são mal explicados ou extrapolados, há um grave problema teológico. Portanto, quando uma doutrina, em vez de proteger o núcleo da fé cristã, o corrompe, temos uma heresia. Qual é esse núcleo? Existem outros pontos importantes, mas resumo o núcleo das verdades do cristianismo em três doutrinas centrais: doutrina de Deus, doutrina do homem/pecado e doutrina da salvação. Cada uma delas é responsável por esclarecer, biblicamente, mistérios importantes em suas respectivas áreas. Quem é Deus? Quem é o homem, e o que é pecado? Como Deus salva pecadores? Heresias são ensinos que pervertem essas respostas de caráter tão central para a fé cristã.

Neste livro, queremos mostrar que a TC corrompe essas três áreas centrais da teologia cristã. Ela erra em sua construção sobre quem Deus é, em sua visão sobre o homem e o pecado e em sua incompreensão de como a salvação se manifesta na vida daqueles que foram chamados por Deus. Detenho-me mais nos aspectos sobre Deus e salvação e deixo a questão do homem e do pecado para ser tratada nos próximos capítulos, que discorrerão sobre o verdadeiro discipulado e a vida cristã. Meu foco está nas distorções que a TC provoca nas doutrinas da Trindade, da soberania de Deus e da salvação pela graça.

O DEUS CARENTE DA TEOLOGIA DO *COACHING*

Não perderei tempo citando novamente as frases marcantes de alguns pregadores que foram citadas no capítulo anterior. Se você já o leu, perceberá que há uma tendência, na TC, de dizer que Deus é emocionalmente incompleto. Logicamente, os pregadores não usam essas palavras, mas aquilo que pregam aponta para um tipo de divindade carente, o Deus que tem em nós o seu ponto fraco ou o Jesus que centraliza sua vida divina em nós, meras criaturas, a ponto de pecar no Éden, se fosse preciso, para estar num relacionamento conosco. Esses discursos e descrições emocionados tratam Deus como alguém entorpecido por um amor platônico que precisa ser urgentemente correspondido. A teologia do *coaching* constrói um Deus emocionalmente carente a fim de suprir as carências emocionais do homem. Em muitos púlpitos, Deus parece um adolescente apaixonado, não o Senhor perfeito em glória, amor e sabedoria.

Esse é o primeiro motivo para classificarmos a TC como heresia. Ela perverte a doutrina do ser de Deus. Oferece uma resposta inaceitável para a pergunta "Quem é Deus?". Não apenas isso, mas também, mediante esse ensino, levanta uma enorme contradição teológica. Pensemos juntos: se Jesus é centrado em mim, então ele é centrado em alguém imperfeito; centrando-se em alguém imperfeito, ele não pode ser perfeito, porque centrar-se em algo imperfeito já é marca de imperfeição. E, se Jesus não é perfeito, como ele pode satisfazer o meu coração por completo? Como Jesus pode me tornar perfeito se ele mesmo não é perfeito? Se Jesus se tornasse um pecador para se relacionar comigo, de que serviria esse relacionamento para mim? Não faz sentido. Pintar um Jesus centralizado em mim (incompleto e imperfeito) e dizer que esse Jesus pode me satisfazer emocional e espiritualmente são duas afirmações antagônicas.

Usemos termos bíblicos: 1João 4.8,16 afirma que Deus é amor — o que é uma verdade maravilhosa! A Bíblia não diz simplesmente que Deus ama ou que possui amor, mas que ele é amor. Deus é o próprio amor, a definição do perfeito amor, a régua para medir o amor, a fonte de amor. Agora, pense novamente: se você é o ponto fraco de Deus e ele faria de tudo por você, inclusive pecar, então Deus precisa do seu amor. Se você é o centro do coração de Jesus, então Jesus precisa da sua reciprocidade. E, se Deus precisa do seu amor, logo ele mesmo não pode ser amor. Um Deus carente de amor não pode ser a definição de amor perfeito, a fonte do supremo amor. Se Deus não é amor, então ele não pode amar você da forma perfeita que satisfaz a sua alma. Muitos proponentes do *coaching* gostam de pregar que Deus é amor, enquanto esvaziam essa verdade diante dos ouvintes quando falam de um Deus carente de amor humano. Há uma contradição herética sobre o ser de Deus nessa teologia.

Mas aqui está a boa notícia de uma teologia saudável e bem desenvolvida ao longo da história da igreja (espero que você leia minha empolgação em cada exclamação deste parágrafo): Deus é, misteriosamente, perfeito e completo! Deus é, misteriosamente, amor! E sabe qual doutrina explica e preserva esse mistério com uma beleza incrível? A doutrina da Trindade! Deus só é perfeito e completo porque é trino! Deus só pode ser amor, definição do perfeito amor e fonte do supremo amor porque é trino! Olhemos, a seguir, para a verdade dessas afirmações a partir das Escrituras com a ajuda de dois grandes teólogos trinitários: Agostinho de Hipona e Ricardo de São Vitor.

TRINDADE, O DEUS COMPLETO DA TEOLOGIA CRISTÃ

A visão mais alta e perfeita que podemos ter de Deus é a Trindade. É isso que ele é. Enxergar Deus de qualquer forma diferente é perder, em alguma escala, o senso de sua grandeza, beleza e perfeição. Deus é Pai, Filho e Espírito Santo. Todas essas três Pessoas são plenamente Deus ainda que haja um só Deus. É nesse mistério entre unidade e pluralidade em Deus que nos maravilhamos e encontramos o ser perfeito e o amor perfeito. Deus é amor porque Deus é completo em si mesmo e é completo em si mesmo porque é Trindade.

Agostinho nos auxilia a entender melhor esse ponto ao focar os relacionamentos trinitários. Sua obra clássica *A Trindade* tem como premissa a substância divina, diferentemente da tradição anterior, cujo ponto de partida era a Pessoa do Pai. Seu foco, portanto, é a unidade da Trindade, ao demonstrar que essa unidade se dá pelo fato de todas as três Pessoas compartilharem a mesma substância divina. Em contrapartida, mesmo que de forma secundária, Agostinho também tratou das distinções trinitárias. Onde estariam essas distinções? Nas relações das três Pessoas umas com as outras. Para Agostinho, elas são o que são em relação umas com as outras. O autor afirma claramente que Pai, Filho e Espírito são três e explica que não podem ser três Pais ou três Filhos ou três Espíritos.[4] Isso porque suas relações de origem indicam suas identidades e distinções. Leia, com atenção, o que ele diz sobre Pai e Filho.

> [...] porque o Pai só é chamado Pai por ter um Filho; e o Filho só é assim chamado por ter um Pai, essas relações não emanam da substância, pois cada uma das pessoas não é mencionada em relação a si mesma, mas sim em relação à outra e entre si reciprocamente. Contudo, não é uma relação acidental, porque o ser Pai e o ser Filho é neles eterno e imutável.[5]

O ponto é: Pai e Filho só existem como pessoas distintas por causa de suas relações. Se a Trindade é eterna, essas relações também são — e precisam ser — eternas e imutáveis. Um pouco mais à frente, Agostinho adiciona o Espírito Santo a esse raciocínio, mas sua ideia de relações eternas numa unidade perfeita já havia sido estabelecida. Pai, Filho e Espírito sempre existiram como Pessoas que se relacionam umas com as outras. Alguns textos bíblicos apontam para essa verdade: "Antes que os montes nascessem e tu formasses a terra e o mundo, de eternidade a eternidade, tu és Deus" (Sl 90.2); "No princípio era o Verbo, e o Verbo estava com Deus, e o Verbo era Deus. Ele estava no princípio com Deus" (Jo 1.1-2).

Esses dois trechos são suficientes para entendermos que Deus é eterno e que as relações trinitárias também são eternas. No prólogo de João, o Verbo (ou a Palavra, ou Logos) do verso 1 é identificado como o Unigênito de Deus nos versos 14 e 18. No restante do livro, esse Filho Unigênito é identificado como Jesus, ou seja, Jesus é o Filho eterno de Deus, segundo João. Aquele que sempre existiu e sempre se relacionou em intimidade com o Pai.

É exatamente por isso que o mesmo João escreve que Deus é amor: "Amados, amemos uns aos outros, pois o amor procede de Deus. Aquele que ama é nascido de Deus e conhece a Deus. Quem não ama não conhece a Deus, porque Deus é amor" (1Jo 4.7-8, NVI). O verso 8 afirma que Deus é amor, e o verso 7 diz que Deus é a fonte do amor. Nesse momento, Agostinho nos dá sua segunda contribuição: de acordo com ele, o amor supõe alguém que ame e alguém que seja amado. Amor só existe quando existe relação. "O que é, portanto, o amor, senão uma certa via que enlaça dois seres, ou tenta enlaçar, a saber: o que ama e o que é amado?"[6] João e Agostinho concordam que Deus só pode ser amor porque ele é Trindade. No esquema de Agostinho, o Espírito Santo é o vínculo de amor entre Pai e Filho,[7] formando a analogia trinitária do amor entre o que ama (o Pai), o que é amado (o Filho) e o amor (o Espírito Santo). É nesse sentido que Agostinho entende Deus como um ser completo em amor.

No século 12, o teólogo medieval Ricardo de São Vitor desenvolveu um pouco mais esse conceito de Trindade e amor de Agostinho. Seu argumento é mais refinado e esclarece nosso assunto. Numa mistura de teologia trinitária agostiniana e capadócia, Ricardo descreveu a Trindade como a comunhão perfeita em amor entre as três Pessoas. Seu passo para além de Agostinho se dá em relação ao Espírito Santo, que já não seria o vínculo de amor entre Pai e Filho, mas uma terceira Pessoa necessária para que o amor em Deus fosse o perfeito amor-caridade. Ricardo chamou o Espírito de "o co-amado".

Quatro argumentos desse teólogo nos interessam. O primeiro é que Deus é o supremo bem e, portanto, precisa ser o supremo amor, como a Bíblia afirma. Ele diz: "o amor verdadeiro e mais elevado não pode estar ausente onde se encontra a plenitude de toda a bondade, pois nada é melhor ou mais perfeito que o amor-caridade".[8] Ricardo consente com João e Agostinho. Seu segundo argumento permanece na linha agostiniana, pois afirma que o amor-caridade só existe numa pluralidade de pessoas. Para ser amor-caridade, é preciso se estender ao outro.

No entanto, o terceiro argumento de Ricardo é o mais relevante para nossa análise da teologia do *coaching*. Em sua visão, o Deus eterno e perfeito não pode ser amor em uma relação de amor com uma de suas criaturas. Isso causaria o que Ricardo chama de "caridade desordenada". Essa desordem é causada pela diferença entre o ser que ama e o amado. Uma criatura não pode amar a Deus de forma plena e perfeita como Deus a ama. Nesse sentido, a relação de amor não seria a maior, mais plena e mais perfeita relação existente.

> Talvez alguém possa objetar: mesmo que houvesse uma única pessoa na própria deidade, nada a impediria de ter um amor-caridade voltado para uma de suas próprias criaturas — de fato, certamente o teria. Contudo, [essa divindade] não poderia conceber supremo amor-caridade em relação a uma pessoa criada. O amor-caridade expresso por ele, que ama supremamente alguém que não deveria ser supremamente amado, seria um amor de caridade desordenado. E é impossível que o amor-caridade desordenado seja encontrado nessa bondade altamente sábia.[9]

É importante compreender esse pensamento. Ricardo não está dizendo que Deus não deve ou não pode amar suas criaturas. Seu argumento é que Deus só pode ser amor se ele mesmo estiver numa relação de pleno amor. Assim, um amor entre criador e criatura não é perfeito, porque a criatura não pode amar divinamente — e essa relação desnivelada é incapaz de ser portadora da essência do amor. Em outras palavras, Ricardo afirma que Deus apenas pode ser amor se houver relação de amor nele mesmo. Somente Deus pode satisfazer amorosamente Deus. Deus é amor e é completo em si mesmo porque existe relação do pleno amor divino nele mesmo. Ricardo explica que "para que a plenitude do amor-caridade resida na verdadeira deidade, a pessoa divina precisa estar unida com outra pessoa de mesma dignidade, portanto também divina".[10] A partir desse pensamento é que Ricardo explora seu quarto argumento, o de que precisa haver pluralidade de, no mínimo, três Pessoas na Trindade para que o amor não seja egoísta e, consequentemente, imperfeito.

Essa parte talvez pareça filosófica demais. Por isso, vamos para a Bíblia e, logo na sequência, para as aplicações sobre a teologia do *coaching*. Tudo o que Agostinho e, principalmente, Ricardo estavam querendo dizer é que Deus é suficiente em si mesmo. Se ele é amor (1Jo 4.8,16), é imutável (Sl 102.25-27) e é eterno (Sl 90.2), então sabemos que, desde a eternidade passada, Deus é amor. Isso implica que, desde sempre, Deus existiu como Pai, Filho e Espírito Santo numa relação de pleno e perfeito amor. Deus sempre foi suficiente em si mesmo. É maravilhoso olhar para o Evangelho de João e ver como Pai e Filho se amam e buscam a glória um do outro e como o Espírito atua para engrandecer essa união de amor e também para glorificar a ambos.

Em João 3.35 e 5.20, lemos que o Pai ama o Filho e age para demonstrar isso aos homens. Em João 14.31, lemos Jesus dizendo que age de tal modo "para que o mundo saiba que eu amo o Pai". Na revelação da Trindade econômica, temos a amostra do amor eterno entre Deus e Deus. A oração do Filho ao Pai em João 17 é o grande exemplo da suficiência de Deus em si mesmo. Deus orou a Deus! "Depois de dizer isso, Jesus olhou para o céu e orou: 'Pai, chegou a hora. Glorifica o teu Filho, para que o teu Filho te glorifique'" (Jo 17.1, NVI). A última frase da prece é: "Eu os fiz conhecer o teu nome e continuarei a fazê-lo, a fim de que o amor que tens por mim esteja neles, e eu neles esteja" (17.26, NVI).

O primeiro verso da oração apresenta o propósito mútuo de glorificação entre Jesus e seu Pai. Cada um está buscando glória para o outro. O último verso da oração apresenta o amor mútuo entre Jesus e seu Pai. Cada um ama o outro com perfeito amor, amor esse que transborda para nós. Por essa razão, João pode dizer, em sua primeira carta, que Deus é amor e fonte do amor. Se conectarmos essa oração ao prólogo do quarto Evangelho (Jo 1.1), veremos que tal relação existe desde sempre, desde antes da criação. O Espírito, por sua vez, foi enviado para nos ensinar tudo o que Jesus disse (Jo 14.26), inclusive sobre sua relação com o Pai. Esse Espírito enviado da parte do Filho e do Pai (Jo 15.26) testemunhará sobre tudo isso. É por isso que entendo o Espírito como uma outra Pessoa nessa relação de amor (como disse Ricardo), responsável pelo vínculo de amor entre Deus e Deus, Deus e os homens, homens e homens (evocando Agostinho). Que incrível mistério de amor!

Em resumo, meu desejo é que você entenda que Deus não é nem nunca poderia ser carente emocionalmente. A Trindade é uma divindade plenamente satisfeita em si mesma, uma comunhão em perfeito amor desde a eternidade. Deus não passou a ser amor quando criou seres para amar. Deus não precisa de nosso amor para ser amor ou para ser mais pleno e feliz. Deus tem tudo de que precisa nele mesmo. Ele não necessita de nenhuma outra glória além da que ele tem em si próprio como Trindade. Entenda de uma vez por todas por que a TC perverte o mistério da Trindade: pregar que Deus é amor contradiz totalmente a ideia de que Deus precisa de nosso amor a ponto de nos ter como seu "ponto fraco" ou de ter sua vida centralizada em nós.

Dizer que Jesus centraliza sua vida em seres humanos é tão estranho quanto dizer que um ser humano centraliza sua vida em um cachorro — são relacionamentos que não se satisfazem por si só, são amores desordenados. Como Trindade, Deus é centralizado nele mesmo. Por ser Trindade, Deus não tem pontos fracos, não possui carências e não está desesperado por ninguém. Sim, ele busca por nós. Sim, ele quer nos salvar. Mas não por necessidade, carência ou desespero, e sim porque escolheu, em sua graça, derramar o seu amor sobre nós. Como Ricardo de São Vitor declarou, nós, meras criaturas, nunca poderíamos preencher o coração de Deus. Mas, infelizmente, é isso que a TC ensina.

Eu prefiro ficar com o Deus amor, pleno, perfeito, eterno, glorioso e autossuficiente da Bíblia. Esse é o Deus capaz de preencher os maiores e mais ocultos vazios do meu coração. É esse Deus Trino que pode ser meu objeto de adoração e me proporcionar uma espiritualidade cheia de significado e propósito de vida. É na Trindade de Agostinho, Ricardo e, principalmente, de João que encontramos o perfeito amor que transborda para nós e nos inunda de salvação, paz e felicidade. O amor do Deus do *coaching* é deficiente, e o máximo que pode fazer por você é oferecer sensações passageiras de prazer enquanto o ambiente escuro, a música suave e o discurso antropocêntrico massageiam seu ego. Corra para o amor perfeito da Trindade.

O DEUS LIMITADO DA TEOLOGIA DO *COACHING*

Outro mistério que a teologia do *coaching* perverte é o da soberania de Deus. As afirmações de que Deus não decreta nada, mas apenas faz planos, precisam ser analisadas à luz da Bíblia. Precisamos pensar seriamente no poder de Deus quando escutamos que ele desenha seus planos com um lápis, mas que nós temos a borracha que pode apagar os propósitos de Deus. O *coaching*, de forma geral, trabalha com a noção de que o poder de decisão pertence ao homem em sua vida pessoal e profissional. O poder da ação humana é recorrente nos cursos dessa área, com foco na responsabilidade que temos por nossos atos e na importância de tomarmos boas decisões. Isso é verdadeiro, mas o problema surge quando a TC copia esses conceitos para aplicá-los em nossa relação com Deus sem nenhuma adequação teológica mais profunda.

Na busca por valorizar o poder da ação e das decisões humanas, a TC tem limitado as ações e decisões divinas. Para dar um senso de responsabilidade ao homem, alguns pregadores têm diluído a soberania de Deus. A pregação cujo foco é o poder humano para destravar destinos e ser digno do que deseja está amarrando as mãos de Deus nos braços de seu trono. Ou melhor, de sua cadeira. A descrição de Deus, feita por alguns *coaches* cristãos, não é mais a do soberano Senhor que governa toda a criação, mas a do expectador que idealizou tudo e está assistindo, torcendo para que seu plano dê certo. Deus parece mais um diretor do *Big Brother* — que elabora todo o *reality show*, mas depende das ações dos atores e das votações do público — do que o soberano bíblico que governa toda a história e seus participantes de acordo com seus propósitos. Analisaremos como alguns teólogos também erraram nesse entendimento e olharemos, biblicamente, para esse mistério entre soberania de Deus e responsabilidade humana.

YAHWEH, O DEUS SOBERANO DAS ESCRITURAS

Como as Escrituras apresentam a soberania de Deus, e como essa soberania se relaciona com as ações humanas? Parto dessas perguntas para mostrar que essa questão é uma tensão teológica complexa e que a teologia do *coaching* está desequilibrada ao fazer afirmações como as que citamos anteriormente. Para começar, eis o centro da tensão: a Bíblia afirma que Deus é totalmente soberano e governa tudo que existe, e também afirma que os homens são responsáveis por suas ações voluntárias. O debate sobre como harmonizar essas verdades atravessa toda a história da igreja e está longe de acabar. Portanto, é necessário ter cautela quando pisamos em campos minados como esse.

O primeiro debate bem documentado sobre a questão ocorreu nos séculos 4 e 5, entre Pelágio e Agostinho. Na tentativa de resolver a questão, Pelágio desequilibrou para o lado do livre-arbítrio e da responsabilidade humana. Sua defesa era que o homem seria capaz de não pecar e cumprir a vontade de Deus sem que houvesse necessidade da intervenção divina. Embora acreditasse na necessidade de Cristo e da palavra de Deus para a salvação, Pelágio afirmava que o homem poderia ser salvo sem a ação da graça soberana de Deus. Em resumo, ele entendia que Deus não move a vontade humana — Deus não intervém nem mesmo na decisão da conversão.[11]

Pelágio foi combatido por Agostinho e outros teólogos. Suas ideias foram negadas e consideradas heréticas nos concílios de Cartago (418 d.C.) e Éfeso (431 d.C.), mas continuaram a influenciar a discussão ao longo do tempo. Logicamente, erros existiram e existem em ambas as vertentes. Entre os séculos 17 e 19, houve um debate entre os calvinistas acerca do que ficou conhecido como hipercalvinismo. Esse calvinismo deturpado desequilibrava a tensão para o aspecto da soberania de Deus, afirmando que o evangelismo e a pregação de arrependimento e fé não eram importantes, pois os salvos já estariam eleitos e determinados.[12]

Embora as duas teorias contenham erros, os equívocos que pendem para o livre-arbítrio humano são maiores. Um exemplo mais recente é o de Clark Pinnock, teólogo canadense falecido em 2010 que lutou com a visão calvinista e passou a afirmar a autonomia humana diante de Deus. Para isso, ele precisou modificar alguns atributos divinos, limitando o conhecimento e as ações de Deus.

> Para Pinnock, temos o direito da escolha contrária, uma vez que não faz sentido afirmar que agimos livremente se, de fato, estamos fazendo aqui o que Deus, desde a eternidade, nos predestinou para fazer. [...] Então, ele redefine seu sistema em quatro pontos básicos: rejeição do modelo grego de imutabilidade divina; crença de que Deus não é impassível; Deus não se abstrai do tempo, pois — ao lidar com a história — ele não pode ser atemporal; e reformulação da onisciência de Deus.[13]

Perceba o foco de Pinnock no direito da escolha contrária. Essa é uma linguagem mais técnica para dizer que nós somos a borracha que apaga os planos de Deus. Além disso, Pinnock ensinou que Deus está limitado ao tempo e não conhece o futuro, mas está aprendendo e mudando à medida que agimos e a história acontece. Tais afirmações polêmicas fazem parte de sua teologia do processo e realmente têm sentido dentro de seu conceito estranho de liberdade de escolha contrária. A citação abaixo é um exemplo do que Pinnock ensinou e do que a TC corre o risco de estar propagando por consequência de suas frases de efeito.

> Alta porcentagem dos crentes acredita que Deus sabe todas as coisas, até mesmo o futuro, exaustivamente, em minúcias. Isto significa que tudo quanto você e eu fizermos já foi registrado no livro das coisas que certamente haverão de acontecer. Assim sendo, a ideia de que de fato estamos fazendo escolhas, ponderando ações alternativas, é um erro, uma ilusão. [...] Atos livres não são entidades que podem ser conhecidas antecipadamente. Não existem, literalmente, e por isso não podem ser conhecidos. Deus pode conjecturar sobre o que você fará na próxima sexta-feira, mas não saberá com certeza, porque você ainda não agiu.[14]

Preste atenção à última frase. Novamente, dizer que Deus pode conjecturar, mas não conhecer o futuro, é semelhante a dizer que ele pode planejar com o lápis, mas nossas decisões contrárias podem apagar. A maioria dos cristãos que conheço não concordaria com Pinnock. Por que, então, essa ideia da TC faz tanto sucesso? A resposta é simples: ela parece agradável ao nosso desejo pecaminoso por autonomia. Ela é a base daquela ajuda motivacional de que tanto precisamos — "só depende de você", "você consegue", "aprenda a pensar e agir e conquiste tudo que quiser". Mas será que é esse tipo de liberdade que a Bíblia nos apresenta? Onde fica a soberania de Deus?

Em Êxodo 3.14-15, lemos sobre o momento em que Deus se revelou a Moisés pelo nome de Yahweh. Esse é o principal nome de Deus, pelo qual o povo de Israel o conhece como o Senhor soberano. O livro de Êxodo é um registro de que Yahweh é o Deus que controla e governa tudo de acordo com seus propósitos. Vemos Deus controlando a natureza para trazer pragas sobre o Egito e também inclinando o coração do faraó para cumprir seus propósitos. Vemos o próprio Deus relacionando seu nome com sua soberania: "Eu os tomarei por meu povo e serei o seu Deus; e vocês saberão que eu sou o SENHOR [Yahweh], seu Deus, que os tiro dos trabalhos pesados no Egito. Eu os levarei para a terra que jurei dar a Abraão, a Isaque e a Jacó; darei essa terra a vocês como herança. Eu sou o SENHOR [Yahweh]" (Êx 6.7-8); "Farei passar toda a minha bondade diante de você e lhe proclamarei o nome do SENHOR [Yahweh]; terei misericórdia de quem eu tiver misericórdia e me compadecerei de quem eu me compadecer" (33.19).

Deus estava afirmando que era ele quem faria tudo para tirar seu povo do Egito. Isso só foi possível por seu controle sobre toda a criação. Ele também diz que sua misericórdia é soberana, atuando somente por sua vontade. Outros textos em que o nome de Yahweh também aparece nos guiam para entender sua total soberania sobre tudo que acontece (Dt 32.39; Is 41.4; 43.11-13). John Frame afirma que "Yahweh controla todo o curso da natureza e da história para a sua glória e para realizar os seus propósitos".[15] Alguns outros textos atestam essa verdade e nos garantem que não há borrachas capazes de apagar os propósitos divinos: "Desde o princípio anuncio o que há de acontecer e desde a antiguidade revelo as coisas que ainda não sucederam. Eu digo: o meu conselho permanecerá em pé, e farei toda a minha vontade"

(Is 46.10); "Todos os moradores da terra são considerados como nada, e o Altíssimo faz o que quer com o exército do céu e com os moradores da terra. Não há quem possa deter a sua mão, nem questionar o que ele faz" (Dn 4.35).

É inegável que a soberania de Deus está enraizada nas Escrituras. Não haveria sequer história bíblica para contar se não fosse o governo soberano de Deus. Frame afirma que esse governo de Deus é tanto eficaz quando universal: eficaz porque Deus sempre realizará seu propósito — novamente, não há borrachas — e universal porque seu governo está sobre tudo — natureza, salvação e vidas humanas.[16] Poderíamos discorrer mais sobre o assunto e citar mais textos, mas, apenas com essa rápida análise, responda-me: você acha mesmo que pode apagar os propósitos de Deus? Acredita que Yahweh é um Deus que depende de nós para o cumprimento de seus planos? Nenhum cristão deve responder positivamente a essas perguntas.

Abordemos, agora, a liberdade e responsabilidade humana. Não quero me aprofundar num debate bíblico e filosófico sobre o livre-arbítrio humano, mas apenas afirmar o outro lado da moeda. As Escrituras tratam o ser humano como alguém que faz escolhas reais e morais e é responsabilizado por seus atos. Adão e Eva foram responsabilizados por seus pecados (Gn 3.9-19). E não foram só responsabilizados, mas também punidos, pois suas ações foram más e derivaram de uma vontade livre para agir. Da mesma forma, no tempo de Noé, a humanidade foi responsabilizada e punida por sua pecaminosidade. Deus viu que os homens eram maus, ou seja, estavam agindo com base em decisões reais para o mal. Além disso, encontramos Deus ordenando que o povo se santifique, se arrependa e creia. Deus nos orienta a tomar decisões reais porque podemos tomá-las! A pregação de Jesus, por exemplo, era: "Arrependam-se e creiam no evangelho" (Mc 1.15). Não há salvação sem a escolha real de arrependimento e fé.

Há inúmeros textos no Antigo e no Novo Testamento ainda mais pertinentes e que representam bem essa tensão. São trechos em que as duas verdades aparecem juntas sem nenhum problema ou debate. Em Gênesis, vemos todas as ações reais dos irmãos de José e, no final, lemos que foi Deus quem levou José para o Egito (Gn 45.8). Em Levítico 20.7, encontramos Deus ordenando que o povo seja santo, mas, em 22.32, Deus diz que é ele que santifica o povo. Em Filipenses 2.12-13, Paulo orienta os crentes a desenvolverem a salvação com temor e tremor e, logo em seguida, diz que é Deus quem efetua neles o querer e o realizar. Finalmente, em Atos 27.27-42, temos a história mais interessante a respeito dessa tensão no Novo Testamento. Paulo está num navio em perigo de naufrágio, mas o apóstolo revela a todos na embarcação que Deus os manteria em segurança. Mesmo assim, guardado pela soberana mão de Deus, Paulo diz que aqueles homens precisavam continuar trabalhando e comendo para que ninguém morresse.

Como entender essa tensão? Como entender a maneira pela qual essas verdades caminham juntas? Minha resposta é: não sei. O fato é que a Bíblia trata ambas as verdades como não antagônicas. Os autores bíblicos não enxergam nenhum problema para escrever sobre essas realidades simultaneamente. D. A. Carson produziu uma ótima pesquisa teológica sobre essa tensão. Ele deixa claro que "a tensão soberania-responsabilidade não é um problema a ser resolvido; em vez disso, é uma estrutura a ser explorada".[17] Não há soluções bíblicas fáceis. Não há como abordar esse grande mistério de forma simples. A teologia do *coaching* se torna herética ao usar os mesmos conceitos limitantes de Deus de Pinnock. Enfatizar qualquer uma das verdades é cair em sério erro, perverter o sentido da vida cristã e diluir o discipulado cristão.

Há uma beleza gloriosa em saber que nossas ações são reais enquanto são guiadas por Deus. Em 2019, compartilhei um vídeo numa rede social para ilustrar essa tensão. Nele, meu filho de 1 ano empurra seu carrinho com a mão.[18] Ele não tem força suficiente para deslocar o carrinho, mas minha mão está junto à dele empurrando e guiando o carro tanto quanto ele mesmo. Ele está realmente empurrando o carro, mas eu estou empurrando junto e o capacitando a agir. Assim é nossa relação com Deus. Quando afirmamos que podemos apagar os propósitos de Deus, perdemos nossa segurança de que ele cuida de nós. Perdemos a esperança de que ele nos guarda. Perdemos a consolação de que tudo coopera para o bem daqueles que amam a Deus e foram chamados segundo o seu propósito (Rm 8.28). A possibilidade de sermos a borracha de Deus apaga nossa própria vida e esperança cristã. Eu prefiro colocar a mão no lápis e saber que sobre ela está a mão de Deus governando tudo o que faço, mesmo que eu não entenda plenamente como isso funciona.

A HIPERGRAÇA DA TEOLOGIA DO *COACHING*

Outra doutrina que tem sofrido nas mãos de alguns pregadores da TC é a da graça de Deus. A soteriologia bíblica tem sido reformulada e distorcida por um novo movimento que se diz defensor do verdadeiro entendimento sobre a graça de Deus, o perdão e a santificação que ela oferece. No Brasil, esse movimento ainda não ganhou força como nos países de língua inglesa, mas já vem surgindo em alguns púlpitos, principalmente em igrejas mais modernas. Atualmente, creio que Victor Azevedo seja o pregador mais notável desse movimento teológico chamado de hipergraça. Meu objetivo não é levantar uma resposta, como foi feito para os dois problemas anteriormente abordados. Por se tratar de algo novo, quero gastar meus últimos parágrafos apresentando esse novo entendimento problemático sobre a graça. Para isso, farei um pequeno resumo de um dos capítulos do livro *Hyper-Grace: Exposing the Dangers of the Modern Grace Message* [Hipergraça: Expondo os perigos da mensagem moderna sobre a graça], de Michael Brown.

Quando Brown escreveu essa obra, ele estava preocupado com os erros doutrinários do movimento, que tem se identificado como uma reforma da graça ou uma revolução da graça — denominada pelo autor de hipergraça ou graça moderna. Para ele, o pastor americano Clark Whitten é um dos principais propagadores do movimento. Em seu livro *Pure Grace: The Life Changing Power of Uncontaminated Grace* [Graça pura: O poder transformador da graça não contaminada], encontramos afirmações polêmicas sobre o que Whitten pensa ser essa nova reforma da graça. Brown destaca as críticas que Whitten faz aos reformadores: na visão deste, Lutero e Calvino acertaram quando falaram acerca da justificação e de como somos salvos, mas erraram ao falar sobre santificação e de como pessoas são aperfeiçoadas à imagem de Cristo.[19] Ele vai ainda mais longe ao dizer que a visão reformada da graça em relação à santificação é uma religião, não o cristianismo real — trata-se de um negócio lucrativo de modificação de comportamento e administração de pecados que só será corrigido com uma segunda reforma.[20]

Citado por Brown, John Crowder é outro defensor da hipergraça. Suas declarações também são controversas e pintam os reformadores como não suficientemente reformados em relação à graça.

> O que estou dizendo aqui é um dos princípios mais revolucionários da Cristandade. Estou pregando uma reforma mais clara do que a

que foi pregada quinhentos anos atrás. Martinho Lutero, você não foi longe o suficiente. Deus não apenas cobriu seus pecados; ele apagou de você sua pecaminosidade. [...] As boas-novas serão pregadas com tanta clareza que até os dias de Lutero parecerão totalmente primitivos em seus conceitos de graça e fé.[21]

Repare no que é dito sobre graça e perdão dos pecados. Crowder afirma que não há apenas perdão dos pecados, mas que Deus apaga a pecaminosidade daquele que se converte. Esse é um bom resumo da hipergraça. O movimento tem ensinado que a obra de Cristo por meio da conversão já nos leva ao estado de perfeição, no qual todos os crentes já assumem uma posição de plena santidade, negando a necessidade de práticas como confissão de pecados e arrependimento. Brown ainda cita outros autores e pastores e resume o movimento nas seguintes palavras:

> Simplificando (e para usar algumas das palavras do pastor Whitten), se você ensina que somos salvos pela graça de Deus mediante a fé, e que agora como crentes somos chamados por Deus para andar de modo digno de nossa salvação e buscar a santidade de coração e vida — em outras palavras, para trabalhar no processo contínuo de santificação — você está pregando "modificação de comportamento", está no (lucrativo!) "negócio de gerenciamento de pecados", está propagando a mesma "mentira espiritualmente assassina" que Lutero e Calvino propagaram e precisa receber a grande e nova revelação dessa grande e nova reforma, a revolução da graça.[22]

A acusação é realmente grave, e a resposta é teologicamente ainda pior. Você já deve ter escutado pastores brasileiros dizendo coisas como "você já é perfeito como Jesus é perfeito", ou "você é a própria justiça de Cristo", ou "você não precisa melhorar", ou "não temos mais as marcas do pecado". Não posso afirmar que eles têm o mesmo espírito ultracrítico contra a visão reformada da graça, mas seus ensinos vão diluindo a necessidade da santificação progressiva e da luta ativa contra o pecado. Enquanto a Bíblia diz que precisamos desenvolver a salvação com tremor e temor (Fp 2.12) e crescer na graça (2Pe 3.18; Ef 4.15), a hipergraça prega o contrário. Negam até o que Paulo afirmou aos Filipenses 3.10-14:

> O que eu quero é conhecer Cristo e o poder da sua ressurreição, tomar parte nos seus sofrimentos e me tornar como ele na sua morte, para, de algum modo, alcançar a ressurreição dentre os mortos.
>
> Não que eu já tenha recebido isso ou já tenha obtido a perfeição, mas prossigo para conquistar aquilo para o que também fui conquistado por Cristo Jesus. Irmãos, quanto a mim, não julgo havê-lo alcançado, mas uma coisa faço: esquecendo-me das coisas que ficam para trás e avançando para as que estão diante de mim, prossigo para o alvo, para o prêmio da soberana vocação de Deus em Cristo Jesus.

A lista de textos que nos orientam a lutar por santidade e crescer em maturidade cristã ainda é enorme, mas creio que não preciso me prolongar aqui. A Bíblia é clara no que diz respeito à nossa luta com o pecado aqui e agora, à nossa imperfeição e aos efeitos do pecado sobre nós.

Brown tem mais algumas afirmações que nos ajudam a entender melhor a hipergraça.

> Um dos fundamentos da mensagem da hipergraça é o de que Deus já perdoou todos os nossos pecados, ou seja, pecados passados, pecados presentes e pecados futuros. De fato, somos informados de que Deus nem vê os pecados que cometemos, pois ele nos vê como completamente santificados e santos em seu Filho.[23]

Perceba que essa é uma meia-verdade ou, para usar a linguagem que estamos adotando neste capítulo, é a afirmação de uma parte do mistério em detrimento de outra. Realmente somos santificados em Jesus quando nos convertemos. Somos separados para ele e plenamente justificados. Mas o mistério se desenrola na necessidade de santificação progressiva e na luta para vencermos o pecado do qual já estamos justificados. Algumas vezes, esse entendimento desequilibrado leva alguns a negarem a necessidade de confissão de pecados e pedido de perdão.[24] A falha é, mais uma vez, não unir duas verdades bíblicas: Deus já nos perdoou em Cristo e continua nos orientando ao arrependimento e à confissão de pecados. O mistério da salvação e santificação precisa ser mantido em equilíbrio — tarefa que a hipergraça tem falhado em realizar. Aqui entendemos, em parte, como a teologia do *coaching* distorce a visão sobre homem e pecado. Ela dilui a realidade do pecado no momento presente e faz do homem algo que ele ainda não é por completo.

É por isso que Brown define a pergunta mais importante no debate sobre esse movimento da seguinte forma: somos completamente santificados ou não? A resposta da hipergraça pode ser resumida no que Crowder escreveu: "No momento em que você decide fazer algo para ser santo, você confiou em si mesmo para salvação, em vez de confiar em Cristo".[25] A ênfase de Crowder em seu livro é que santidade não é um processo, e esse é o grande erro da hipergraça. Ele é escatológico. É não entender o progresso escatológico da salvação, que só chegará à sua plenitude na glorificação. A hipergraça antecipa a realidade glorificada e pula etapas. Concordo com as seguintes afirmações de Brown sobre santificação:

1. No momento em que nascemos de novo somos separados como santos para o Senhor.

2. Desse momento até o dia de nossa morte somos chamados por Deus para crescer em santidade com sua ajuda e capacitação.
3. Quando formos ressuscitados, seremos feitos santos perfeitos para sempre.[26]

Em síntese, "fomos santificados, estamos sendo santificados e seremos totalmente santificados".[27] A hipergraça nega essas verdades bíblicas ao eliminar o segundo ponto e todas as suas implicações para o discipulado e a vida cristã. Ela elimina justamente o ponto em que Deus tem participação ativa e nos deixa à vontade para vivermos relaxados numa graça que parece extremamente poderosa, mas que foi mais bem definida por Dietrich Bonhoeffer como graça barata.[28] Alguns pregadores usam esse tipo de ensino para falar aquilo que pessoas emocionalmente destruídas ou carentes gostariam de ouvir. Num mundo cada vez mais individualista e egocêntrico, o remédio para emoções doentes está sempre no pensar em si mesmo da maneira mais superior e perfeita possível. A hipergraça oferece esse afago no ego e torna a pregação emocionalmente mais atraente.

Para exemplificar, essa é uma prática muito presente entre jogadores de futebol. Existe um tipo de "outro evangelho" muito popular nesse meio, o evangelho motivacional. É aquele em que redenção significa Deus se importar com minha carreira e recompensar meu trabalho duro para crescer nele. É o evangelho de frases motivacionais como "nunca foi sorte, sempre foi Deus" ou "Deus no controle", repetidas como mantras diante das dificuldades do esporte, das vitórias e derrotas. É o evangelho reduzido, que pouco se aplica a outras esferas da vida.

Essa é a tal vida cristã que nada diz sobre santidade, adoração ou missão. É o evangelho de "cristãos" que vivem no pecado e têm prazer nele, mas que recorrem a Deus como motivação para continuar trabalhando. É a escatologia do sucesso, dos títulos. Em resumo, esse evangelho é a fé da teologia do *coaching*. Daquela que alimenta o ego de estrelas e passa pano para seus pecados. É aquela dos pregadores que são gurus de jogadores. É a fé sem obras sobre a qual alerta Tiago — sem vida, apenas motivação barata.

Em outubro de 2020, o Santos Futebol Clube planejou e chegou a acertar a contratação do atacante Robinho. Houve, então, grande polêmica entre torcedores, jornalistas, admiradores do esporte, cristãos e não cristãos. À época, Robinho estava sendo julgado por estupro na Itália. A investigação encontrou provas em áudios de que ele era culpado, o que resultou em sua condenação pela justiça italiana. Diante de tudo isso, a postura de Robinho assusta. Ele, que se diz cristão, fez um pronunciamento sobre como tem sido perseguido e que essa é uma provação de Deus. Robinho trata o crime de estupro como mais uma situação de vencer na vida e superar a provação. Ele se apoia em Deus e no evangelho para melhorar sua imagem profissional. É simplesmente hediondo. É uma consequência terrível do evangelho motivacional da teologia do *coaching*.

É esse tipo de "evangelho" que faz jogadores criminosos usarem Deus como motivação para negar seus atos e "superar" uma investigação criminal bastante convincente. É esse tipo de redenção que não trata de pecado, mas de fracasso profissional. E sabe de uma coisa? Tragicamente, esse "evangelho" está em muitas igrejas, produzindo discípulos à imagem de Robinho. Não necessariamente estupradores, mas adoradores de si mesmos e de suas carreiras. Cegos para pecados e arrependimento. Cegos pela hipergraça.

O discurso pode ser bonito e sedutor, mas é mentiroso. Nesse sentido, a hipergraça se parece muito com as falas motivacionais e promessas incríveis de muitos *coaches* de auditório. Esse é mais um dos graves problemas teológicos da TC que, aliado aos dois anteriores, formam um grupo de ensinos heréticos que diluem nossa visão de Deus, da salvação e, consequentemente, da vida cristã. A ortopraxia cristã é pervertida pela heterodoxia da teologia do *coaching*.

CONCLUSÃO

Encerro este capítulo com três observações importantes. A primeira diz respeito aos problemas teológicos de que acabamos de tratar. Lembre-se que a teologia do *coaching* não é um sistema teológico bem organizado. Trata-se de um tipo de abordagem com o elemento comum da centralização do homem ao dizer que ele é capaz em poder e importante em valor. Nessa abordagem, pregadores diferentes têm usado conteúdos e doutrinas diferentes. Esses problemas teológicos não foram apresentados como se todos fossem praticados por todos os pregadores da TC, mas são os três principais erros teológicos que identifiquei entre os principais representantes dessa abordagem.

Aliada a essas questões específicas está uma hermenêutica deficiente e, algumas vezes, desonesta. Textos são usados fora de contexto e, muitas vezes, completamente distorcidos para falar aquilo que nunca falaram. Esta é minha segunda observação: a TC depende de uma interpretação bíblica que empurra os pressupostos do *coaching* de auditório para dentro do texto bíblico. É uma abordagem que nasce da necessidade de unir *coaching* e teologia bíblica, forçando esse casamento de maneira irresponsável e ignorante. Alguns teólogos estão mais preocupados em encontrar o *coaching* na Bíblia do que em encontrar princípios bíblicos no *coaching*. Abandonam a exegese pela eisegese, a interpretação de um texto atribuindo-lhe ideias do próprio leitor. Trocam a intenção original do autor bíblico pela intenção dos gurus do *coaching*. Um conteúdo mais elaborado sobre hermenêutica está fora do propósito deste livro, mas, se você é um cristão em busca de uma fé saudável, procure aprender uma hermenêutica bíblica saudável, uma interpretação que respeite o texto ao somente retirar significado, não adicionar.

Hermenêuticas ruins estragam púlpitos. E púlpitos estragados estragam a vida da igreja. Minha última observação diz respeito a como esses problemas teológicos e toda a abordagem da TC causam estragos na vida dos crentes que ouvem tais ensinos. Não finalize a leitura deste capítulo achando que se trata apenas de teologia em seu sentido teórico e abstrato. Não ache que isso tudo é picuinha de ideias que não reverberam no mundo real, no dia a dia da fé cristã. Saiba que toda teologia é prática. Nosso entendimento sobre Deus, homem, pecado e salvação definem nossa visão de mundo e prática de vida. Lembre-se que os seus amores dizem quem você é de verdade. O que a teologia do *coaching* tem ensinado você a amar? Você mesmo? Uma versão carente e limitada de Deus? Todas essas questões são muito sérias e devem ser tratadas e lidas com cuidado. Minha parte neste livro foi apresentar a realidade da teologia do *coaching* e a necessidade de combatê-la. A seguir, Yago e Guilherme mostrarão como a vida cristã deve ser realmente vivida. Preste atenção em como a teologia saudável promoverá um discipulado saudável. Deixe que o restante do livro use essa treta necessária para abençoar e transformar sua prática cristã.

PARTE II

O custo que não ensinam a calcular

Qual religião do mundo produz mais felicidade? A religião da adoração própria é a melhor — enquanto dura.

Tenho um conhecido com cerca de oitenta anos de idade que passou a vida toda imerso em egoísmo e vaidade e é, mais ou menos — lamento dizer — um dos homens mais felizes que conheço. [...] Como você talvez saiba, eu nem sempre fui cristão. E não procurei a religião para ser feliz. Eu sempre soube que uma garrafa de vinho do Porto bastaria para isso. Caso você queira uma religião para se sentir confortável, eu certamente não recomendo o cristianismo. Tenho certeza de que deve haver um artigo americano no mercado por aí capaz de atendê-lo muito melhor.

C. S. Lewis, *God In The Dock*

═ 4 ═
Tome sua cadeira elétrica e siga-me: O chamado radical do discipulado

Um dos questionamentos que mais escutei quando trabalhei por dois anos como missionário, principalmente servindo em núcleos de evangelismo estudantil na Missão GAP (Grupo de Adoração ao Pai), em Fortaleza, era: "O que eu tenho de fazer para ser crente?". Essa era uma dúvida recorrente, mesmo depois de o evangelho ter sido exposto e o caminho da cruz, pregado. Se alguém lhe fizesse essa pergunta, qual seria sua primeira resposta? É provável que a solução que apresentaríamos seria algo como uma oração para aceitar Jesus ou um convite para ir à igreja. Muitas vezes, não entendemos que, quando Jesus explica o que devemos fazer para segui-lo, ele não usa terminologias familiares ao nosso vocabulário religioso. Ele usa linguagens que, por serem tão fortes, nos incomodam, e que, por serem tão profundas, ignoramos e batalhamos para não levar a sério como deveríamos.

As Escrituras falam repetidamente a respeito do que fazemos para encontrar Jesus, utilizando expressões que remetem à morte — em nível metafórico e, muitas vezes, literal. Quando as Escrituras abordam a ida até Jesus, lançam mão de uma linguagem de renúncia desta vida que torna possível encontrar um novo relacionamento com Deus que vai muito além do que a religião impõe. É um preço que os novos teólogos da prosperidade não contam em seus púlpitos, vídeos no YouTube ou livros acerca de sucesso terreno.

É muito comum que falsos pregadores encarem o cristianismo como apenas mais um item, uma tradição familiar, uma programação social. Trata-se de estar na igreja aos domingos, ouvir algumas regras morais, ter certos comportamentos, geralmente associados à negação (não beber, não fumar, não usar drogas, não frequentar boates, não transar antes do casamento etc.). Para essas pessoas, ser crente é isso. Se alguém lhes pergunta: "O que devo fazer para ser crente como você?", talvez tudo o que tenham a oferecer seja justamente alguns padrões de comportamento.

Quando Jesus expõe, pela primeira vez, o convite do evangelho e faz uma declaração aberta sobre o que aconteceria com ele, o resultado é a quebra das expectativas de seus doze apóstolos e, provavelmente, de todos os discípulos que o acompanhavam na caminhada.

O capítulo 16 do Evangelho de Mateus nos apresenta uma mudança geográfica no ministério de Jesus. A maior parte de seu ministério se deu na região da Galileia. Jesus era um galileu (mais apropriadamente, um nazareno) nascido na zona rural do interior de lugar nenhum. Ele vinha de um lugar de onde ninguém acreditava que pudesse sair um profeta. "Por acaso algo de bom pode vir de Nazaré?" era a pergunta que se fazia. Jesus morava num local em que as pessoas teriam vergonha de admitir que residiam. Jesus também exerceu boa parte de seu ministério em lugar nenhum. Mas o Jesus de lugar nenhum também passeava por outras regiões a fim de transmitir a mensagem do evangelho.

O texto de Mateus 16, a partir do versículo 13, nos mostra Jesus se dirigindo para as proximidades de Cesareia de Filipe.

Em meio a esse processo de mudança do ministério, ele começa a ensinar e se torna conhecido, entre os gregos, como mestre peripatético. Em geral, os líderes gregos eram pessoas que ensinavam enquanto andavam, arrebanhando multidões pelo caminho. Jesus assumiu muito desse estilo. A companhia das multidões, no entanto, gerava uma série de problemas logísticos para seu ministério. Lembremos, por exemplo, dos relatos da multiplicação dos pães e peixes nos Evangelhos. Aquilo aconteceu porque havia uma grande e faminta multidão acompanhando Jesus enquanto ele ia ao deserto.

Jesus ensinava perguntando. Geralmente, antes de dizer algo, Jesus queria ouvir o que os discípulos tinham a dizer sobre ele. A primeira pergunta de Jesus, no versículo 13, diz respeito ao mundo, às pessoas: "Quem os outros dizem que é o Filho do Homem?". A impressão é de que se trata do reconhecimento de um campo missionário. É como se ele dissesse: "Estamos indo para uma região nova, onde nunca estive, mas tenho certeza de que conversas a meu respeito chegaram lá. Vocês são meus discípulos e devem saber disso. O que as pessoas dizem sobre mim?".

Curiosamente, nos Evangelhos de Marcos e Lucas, é registrado que Jesus perguntou: "Quem os outros dizem que eu sou?" (Mc 8.27) e "Quem as multidões dizem que eu sou?" (Lc 9.18), respectivamente. Mas Mateus registra uma resposta à pergunta: "Quem os outros dizem que é o Filho do Homem?" (Mt 16.13). Jesus está respondendo enquanto questiona, como se perguntasse qual a cor do cavalo branco de Napoleão. "Eu sou o Filho do Homem. O que os outros pensam sobre mim?"

"Filho do Homem" foi um termo usado nos escritos de Daniel para falar a respeito do Messias que viria, atestando que ele seria o Deus encarnado. Já havia à época uma visão da encarnação, e Jesus assume para si esse termo escatológico que aponta para

Deus em forma humana, conforme havia sido prometido nas profecias. Jesus já mostra que não era um homem comum. Não era apenas um bom mestre com uma boa mensagem. Era o Filho do Homem prometido no Antigo Testamento.

Os discípulos não precisaram fazer um censo para responder à pergunta de Jesus, porque pareciam perfeitamente inteirados de todas as fofocas religiosas de Cesareia de Filipe. Automaticamente, eles respondem: "Uns dizem que é João Batista; outros dizem que é Elias; e outros dizem que é Jeremias ou um dos profetas" (Mt 16.14). O Evangelho de Lucas adiciona "um dos antigos profetas [que] ressuscitou" à explicação (Lc 9.19).

As pessoas tinham opiniões sobre Jesus. Por exemplo, depois que João Batista morreu, surgiu uma lenda de que ele voltaria para se vingar, e alguns acreditavam que Jesus era esse João retornado dos mortos. Outros diziam que ele era Elias, tomando como base uma das promessas do livro de Malaquias (Ml 4.5), segundo a qual Elias regressaria para anunciar o Filho do Homem. O Novo Testamento interpreta essa profecia como sendo relativa ao ministério de João Batista, alguém que veio no mesmo espírito profético de Elias e tinha características semelhantes. Alguns diziam, ainda, que Jesus poderia ser Jeremias, conforme profecias extrabíblicas, mas que pertencem ao período intertestamentário (os quatrocentos anos que separam Antigo e Novo Testamento) e que prediziam a volta de Jeremias, saído de uma caverna com um rolo da lei para condenar os pecados de Israel.

Jesus era associado ao profetismo do Antigo Testamento, a alguma profecia miraculosa do passado. Perceba que as pessoas não consideravam Jesus uma pessoa normal, pois, quando ele pergunta sobre a própria identidade, ninguém responde que ele é simplesmente um carpinteiro arrogante. Ele era associado a profetas do Antigo Testamento que talvez tivessem retornado.

Era associado a João Batista, a Elias, a Jeremias, três profetas que fizeram o povo de Israel tremer. E lembre-se que a mensagem de João Batista era "raça de víboras" e "quem lhes ensinou a fugir da ira vindoura?". Elias, por sua vez, orou e fogo desceu do céu, consumindo centenas de profetas de Baal, e Jeremias escreveu suas lamentações sobre o sangue que escorria nas ruas de Israel. Jesus era relacionado, no imaginário público, a profetas cujas pregações machucavam, instruindo duramente o povo e denunciando os pecados de Israel.

Em certo sentido, isso nos ajuda a perceber como Jesus era visto pela população de Cesareia de Filipe, que tinha uma compreensão muito profunda da dureza da pregação de Jesus. Todavia, por mais que as respostas sejam diferentes, todas elas têm um ponto em comum: além de associarem Jesus a profetas de fala dura, essas respostas estavam simplesmente erradas. Elas nem sequer arranhavam a casca de quem Jesus de fato era. Jesus não era apenas um profeta, mas era também o Deus encarnado. Jesus era o Filho do Homem prometido no Antigo Testamento. Se eu lhe fizesse a mesma pergunta— "O que a sua família pensa sobre Jesus? Quem os seus amigos pensam que Jesus é?" —, você não precisaria fazer um censo nem forçar muito a memória, porque teria a resposta na ponta da língua: o que seus pais falam, o que seus amigos falam, o que os colegas de trabalho ou da escola falam. Você sabe o que as pessoas pensam sobre Jesus, pois ele é aquele personagem sobre o qual todos têm uma opinião formada.

A cultura sempre tem algo a dizer sobre Jesus, e as pessoas fabricam as mais diversas explicações a respeito dele: pensam em Jesus como um mestre moral, como alguém que ensinou sobre amor, como um agitador político, como um revolucionário que se opôs às forças dominantes de Roma. Muitos olham para Jesus e o interpretam como o espírito da verdade do espiritismo, um espírito maior e iluminado. Outros, como os mórmons e as testemunhas de Jeová, veem Jesus como um arcanjo. Há quem o enxergue como um mito, uma construção literária de pessoas entediadas do primeiro século. Numa de suas edições, a revista *Superinteressante* estampou na capa: "Jesus, homem ou mito?". E há ainda os que dizem que ele era um extraterrestre, uma figura de outro mundo que veio para nos atormentar. As pessoas dizem um milhão de coisas sobre Jesus, muitas delas totalmente equivocadas a respeito da realidade.

Todavia, é fácil condenar o que o mundo pensa sobre Jesus. Quando Jesus pergunta sobre os outros, é fácil explicar que os outros estão errados. O sentimento de que desfrutamos quando falamos do erro alheio é agradável, mas Jesus toma o alvo que estava colocado sobre Cesareia de Filipe e o deposita no coração de seus apóstolos. Enquanto eles ainda expressavam o que as pessoas pensavam a respeito dele, Jesus faz uma segunda pergunta: "E vocês, quem dizem que eu sou?" (Mt 16.15). É como se o Mestre sinalizasse que já havia entendido as opiniões do povo, mas quisesse saber se seus amigos concordavam com elas. A visão que *você* tem de Jesus é a visão que o mundo tem dele? A compreensão que *você* tem da fé é influenciada por aquilo que o mundo pensa sobre ela? Será que essas mensagens falsas já tomaram conta do seu interior? Será que, por não ter coragem de abandonar a igreja e largar completamente a fé, sua vida cristã está negligenciada e trincada pelas bobagens que o mundo diz a respeito de Deus? Quando depara com dúvidas que abalam sua fé, tudo o que você faz é tentar expulsar as ideias da cabeça sem lidar com elas, sem questioná-las, sem estudar e sem procurar alguém que possa lhe ensinar?

A pergunta não é se você recebeu Jesus na sua vida, mas sim qual Jesus você recebeu. Jesus é um alento para você conseguir dormir bem à noite porque não consegue lidar com a consciência do que fez no passado? É uma tradição familiar, e abandoná-lo seria uma desonra para seus pais? É um amuleto da sorte? Um curandeiro que o ajuda em suas enfermidades? Um garçom que vem até você para realizar seus desejos? Quem é Jesus na sua vida? O que Jesus representa na sua existência?

Quando eu tirava o sossego da minha mãe pedindo que ela me fizesse algum favor, ela me olhava e dizia: "Meu filho, sua empregada já morreu. Vá e resolva você!". Ao usar esse "provérbio" contra mim, minha mãe queria dizer que o modo como eu me relacionava com ela parecia o relacionamento entre um serviçal e seu senhor, porque eu só ia até ela para lhe pedir algo. Sendo assim, eu lhe pergunto: como você se aproxima de Jesus? Quando é que você se lembra de Jesus? O que costuma falar para Jesus? Você chega a ele apenas para pedir e ser acalentado? Aproxima-se dele apenas como parte de um ritual estético e público de culto? Como é o seu relacionamento com Deus? Jesus pergunta isso aos discípulos, e Pedro toma a dianteira para responder. Em Mateus 16.16, vemos que ele entende quem Jesus é. Ele entende quem é o Filho do Homem. Pedro era um pescador, um homem simples e, provavelmente, de todos os apóstolos, um dos que havia estudado menos. No entanto é esse homem que responde: "O senhor é o Cristo, o Filho do Deus vivo". O povo de Cesareia de Filipe tinha respostas criativas, mas apenas Pedro tinha uma resposta que vinha dos céus. Pedro não disse que Jesus era simplesmente alguém elevado. Não se limitou a negar a ideia de que Jesus era um dos antigos profetas reencarnado. Seria uma honra ser a encarnação de Elias ou Jeremias, mas Jesus não era somente um profeta prometido. Ele era o Cristo. Em grego, "Cristo" é equivalente à palavra hebraica "Messias", o termo usado para "ungido", aquele que foi prometido no Antigo Testamento para salvar o povo de Israel, trazer a esperança e a vida eterna e nos reconciliar com o Pai. Ele é o Cristo, e Pedro reconhece isso. Ele compreende que Jesus é o Messias prometido para limpar o pecado de Israel, o servo sofredor de Isaías 53, o Filho do Deus vivo.

Para um judeu, a expressão "filho" era muito significativa. Quando se dizia que alguém era filho de determinada pessoa, isso significava que eles eram semelhantes. No Evangelho de João, Jesus quase é apedrejado diversas vezes, porque se dizia filho de Abraão. Quando isso acontecia, os fariseus replicavam: "Você está dizendo que é igual a Abraão?", pois, para eles, ser filho era ser igual. Quando Pedro diz que Jesus é o Filho do Deus vivo, ele está reconhecendo Jesus como o próprio Deus encarnado, como o próprio Senhor. Pedro estava fazendo declarações que chegariam aos ouvidos de Deus, pois ele estava à sua frente. Pedro estava caminhando com Deus. Ao ser questionado, você pode responder como Pedro, isto é, "Jesus, para mim, é Deus, é o Senhor, é o Cristo enviado, é o Deus vivo a quem eu me submeto"?

Talvez você leia essas declarações e perceba que, de fato, tem dificuldade para acreditar nisso e que Jesus não é o centro da sua vida, ainda que você tenha confessado essa fé. Se esse é seu caso, a razão é que, provavelmente, você tem encontrado outros sentidos, outros propósitos, para a existência. Você não acredita que seu socorro vem do alto e não olha para Cristo todos os dias, mas outras realidades brilham diante dos seus olhos. Para o filósofo cristão holandês Herman Dooyeweerd, o modo como usamos a palavra "religião" é, de certa forma, estranha. No senso comum, ela conota igreja, culto, missa, rituais, padrões morais. No entanto, Dooyeweerd declara que isso é apenas um dos aspectos do que é religião. Nem tudo aquilo que é religião está relacionado à fé no sentido comum. Segundo ele, religião nada mais seria que esse impulso do coração para algo que dê sentido, razão e propósito à existência. Para algumas pessoas, a religião está relacionada à fé, mas, para outras, ela pode estar atrelada a uma enorme gama de significados.

É possível, por exemplo, colocar a religião na política, estabelecendo como sentido da vida a busca por construir uma sociedade melhor mediante uma organização social. A religião pode estar atrelada a uma utopia, uma nova transformação cósmica que se dará por meio de ações revolucionárias. A religião pode estar na arte, quando há uma busca por transcendência no belo a fim de encontrar elevação e deleite. Alguns põem a religião na história, no olhar focado no que é antigo, profundo e desconhecido. Ela pode estar, até mesmo, na literatura, no prazer que ela desperta. A religião, de fato, pode satisfazer vontades táteis que tomam conta do coração. A religião pode ser o dinheiro, a conquista acadêmica, o sucesso, o casamento. Pode ser a busca pela "cara-metade", o carro novo, mais curtidas no Instagram. Ela pode se manifestar de muitas formas, mas, à medida que você vê Jesus como o Senhor, todas essas falsas religiões que orbitam a verdadeira fé deveriam se apagar progressivamente. Cristo deveria ser o seu desejo e a sua alegria final. Ele não deveria estar presente apenas no "amém" e no "graças a Deus" após a conquista dos seus sonhos. Jesus não deveria ser o método pelo qual você alcança aquilo que projetou para a própria vida.

Jesus afeta o modo como você guia a sua vida? Quando alguém vai morar em outra cidade, outro estado ou país, geralmente pensa na casa, no trabalho, na segurança, na economia e, somente depois de observar tudo isso, lembra: "Será que existe uma boa igreja lá?". Quando uma moça busca um rapaz para namorar, o primeiro pensamento dela talvez diga respeito à estética — se ele é bonito, alto, baixo, loiro, moreno, e somente depois de elaborar um modelo ideal na cabeça ela analisa se ele é mesmo crente e se seria um bom líder para seu lar. Um profissional em busca de emprego pensa se há progressão de carreira, se a experiência será boa para o currículo, se o salário é vantajoso e, em último lugar, pensa se naquele trabalho há riscos de prejudicar o relacionamento com a igreja e a vida com Deus. Sempre que iniciamos um curso, um projeto, uma atividade e Deus é o último fator que parece importar, estamos respondendo, com a nossa vida, à pergunta de Jesus — "O que eu sou para vocês?" — e, consequentemente, agindo de modo diferente de Pedro. Somente quando a certeza de que ele é o Cristo, o Filho do Deus vivo, queima em nosso coração, é que vivemos uma vida na qual Jesus de fato é o propósito, a esperança e a razão. Ele é quem está acima de tudo.

Você pode ficar curioso para saber qual foi o "pulo do gato" de Pedro, o que ele fez para obter essa compreensão. Mas perceba que o apóstolo não fez coisa alguma. Ele não estudou para descobrir isso, não recebeu diploma de PhD no exterior, não aprendeu grego no seminário, não teve de ler o futuro numa borra de café. Ele não teve de fazer nada. Pedro *recebeu* uma compreensão a respeito de Deus.

Jesus diz: "Bem-aventurado é você, Simão Barjonas, porque não foi carne e sangue que revelaram isso a você, mas meu Pai, que está nos céus" (Mt 16.17). A expressão "carne e sangue", no Novo Testamento, é usada para falar daquilo que é humano em contraste com o que é espiritual. Em sua carta aos efésios, o apóstolo Paulo diz que "a nossa luta não é contra o sangue e a carne, mas contra os principados e as potestades" (Ef 6.12). O autor está contrapondo o que é humano ao que é espiritual. Não foi carne nem sangue que revelaram a verdade a Pedro. Ele entendeu que Jesus era o Cristo não por uma argumentação teórica, ou por ter sido inteligente o bastante, ou porque aprendeu na escola. Pedro recebeu uma revelação do Pai.

Você gostaria de entender o que Pedro entendeu? Quer viver sob a compreensão verdadeira de que Cristo é o Senhor da sua vida acima de qualquer outra certeza? Você precisa receber algo que está apenas em Deus. Precisa se prostrar em sujeição diante do único que pode conceder isso, aquele cujo espírito pode tocar o seu interior. Você não terá coisa alguma por suas próprias forças e tentativas. Por vezes, achamos que somos capazes de conquistar o favor de Deus, ao passo que ele está, simplesmente, aguardando o nosso desespero. Ele está esperando que nos prostremos e confessemos nossa incapacidade. Deus não nos culpa nem nos envergonha quando pedimos sabedoria para compreender sua vontade e viver de forma que glorifique seu nome. Quando nos prostramos diante dele, recebemos uma compreensão do Senhor que o mundo não tem e que seminário nenhum pode dar. Somos presenteados com um entendimento que não conquistaremos lendo livros robustos, pois é algo que somente o próprio Senhor pode comunicar a nós.

Ainda que criássemos instituições grandiosas, lêssemos livros dos melhores autores do mundo, aprendêssemos grego e hebraico para ler a Bíblia no original, se Deus não falar conosco, nada entenderemos. Pedro era um pescador (um semianalfabeto, podemos supor), e ele entendeu o que os fariseus (que tinham o hebraico do Antigo Testamento decorado) não entendiam. Há um conhecimento que só encontramos quando escutamos a voz do Senhor. Precisamos ouvir mais o Senhor, ouvir mais sobre quem Deus é e o que ele tem para nos transmitir a respeito de Cristo.

Somente receberemos o entendimento de Cristo quando tivermos a revelação do Espírito em nosso coração. Você tem sido sensível àquilo que o Espírito tem a dizer sobre quem Cristo é? Tem entendido que a vida da fé é uma vida espiritual ou tem caído no racionalismo para o qual tudo é uma questão de entender?

Nós podemos ir para o inferno entendendo tudo sobre o Senhor. O próprio Satanás tem entendimento a respeito de Deus.

Há algum tempo, eu estava conversando com um ateu que havia lido a Bíblia inteira duas vezes e entendia alguns pontos sobre Deus. Contudo existe uma diferença entre entender algo a respeito do Senhor e entender o que ele nos diz mediante o poder do Espírito Santo que clareia nossos olhos para compreender a Palavra e vence nossa incredulidade. Pedro entendeu, porque o Pai falou. Isso deve gerar humildade em nosso coração. Precisamos enxergar que não somos melhores, superiores, mais inteligentes ou mais sábios. Se estamos em um relacionamento real com Deus, é porque ele mesmo se revelou.

Eu tenho amigos superiores a mim em inteligência, mas eles não estão no caminho de Deus, pois não chegamos a Deus pelo intelecto. Tenho colegas muito mais sábios que eu, e eles não estão no caminho de Deus, porque também não é pela sabedoria que chegamos ao Senhor. Conheço pessoas mais corretas, honestas e justas que eu, e, do mesmo modo, elas não receberam a salvação. No fim das contas, nenhum mérito, nenhuma característica, nenhuma habilidade humana nos aproxima de Deus. Unicamente, é o Senhor quem se aproxima de nós e nos revela que ele é o Cristo, o Filho do Deus vivo. Foi Deus que, pela cruz, nos atraiu gentilmente e nos deixou sedentos por aquilo que somente a cruz pode oferecer. Saber que foi ele quem tomou a iniciativa de nos levar para si precisa nos deixar em paz com ele.

A partir de Mateus 16.21, que narra mais um pouco da conversa de Jesus e Pedro, visualizamos uma mudança de figura de Jesus. Se no versículo 13 houve uma mudança geográfica, a partir do versículo 21 há uma mudança de discurso. Jesus começa a fazer revelações que ele nunca havia feito a seus discípulos: "Desde esse tempo, Jesus começou a mostrar aos seus discípulos que era necessário que ele fosse para Jerusalém, sofresse muitas coisas nas mãos dos anciãos, dos principais sacerdotes e dos escribas, fosse morto e, no terceiro dia, ressuscitasse".

Perceba que não estamos no Sermão do Monte, em Mateus 5, mas no capítulo 16. O ministério de Cristo já tinha se iniciado havia um tempo, mas ele está falando de assuntos jamais desvelados até então. Ele explica sua paixão, morte e ressurreição, pois, até o momento em que Pedro declara que Jesus é o Cristo, eles ainda não tinham ouvido seu Mestre lhes explicar que morreria. É provável que você não tenha dimensão de como essa mensagem foi um banho de água fria para os judeus daquele tempo.

As promessas messiânicas abordavam significativamente a segunda vinda do Messias. Essas promessas, em geral, não delimitam uma diferença clara entre a primeira e a segunda vinda de Jesus. Na teologia judaica, acreditava-se mais comumente que o Messias viria de uma vez por todas. No Novo Testamento, conseguimos olhar para essas promessas com um pouco mais de nitidez e interpretar que determinados textos falam da primeira vinda e outros, da segunda. A ideia de uma única vinda de Jesus, dentro do Antigo Testamento, é de certo modo inconciliável. Do contrário, Isaías 53 não faria sentido — como o Messias viria para libertar Israel como guerreiro e venceria as nações e, ao mesmo tempo, morreria para levar os pecados?

Olhando para o Antigo Testamento hoje, percebemos claramente que há uma primeira vinda em fraqueza e uma segunda vinda em força. Mas, para os judeus, essa não era uma ideia bem concebida, pois eles criam que o libertador viria de uma vez só para vencer o governo dos gentios, libertar os judeus da opressão de Roma e firmar o povo de Israel, finalmente, como chefe e líder das nações. Eles olhavam para Jesus esperando que ele se tornasse o líder militar que venceria César e reinaria com seu povo.

Essa esperança se evidencia nas conversas que as pessoas tinham com Jesus: "Senhor, quando vier o teu reino, eu posso sentar à tua direita ou à tua esquerda?". Em Atos 1.6, após a morte de Jesus, a primeira pergunta dos discípulos foi basicamente: "O reino é agora?". A expectativa para esse reino vindouro era alta, contudo aquele que eles achavam que venceria Roma diz agora, pela primeira vez, que Roma iria vencê-lo. Logo após a declaração de Pedro, Jesus afirmou que não mataria César, mas que seria morto por César. Ele não reinaria com os líderes de Jerusalém; os líderes lhe entregariam para a morte. Era uma mensagem contrária a todas as expectativas que haviam sido geradas entre os judeus que acompanhavam Jesus.

Pedro, que havia acabado de reconhecer o Cristo, ficou aterrorizado: "Então Pedro, chamando-o à parte, começou a repreendê-lo, dizendo: 'Que Deus não permita, Senhor! Isso de modo nenhum irá lhe acontecer'" (Mt 16.22). Pedro achou que Jesus estava com uma crise de autoestima, perdendo a esperança. Pedro o censura, muito embora, três versículos antes, tivesse declarado que ele era o Deus vivo. Três versículos à frente, ele está dando uma reprimenda de canto, como uma mãe que leva o filho a um lugar reservado para discipliná-lo sem que as visitas vejam. Ele teve a coragem de repreender Deus. Poderíamos julgar que Pedro era tolo, mas, por vezes, não somos exatamente como ele em nosso relacionamento com Deus? Erguemos as mãos para cantar que ele é Senhor e Rei, mas, em nossa intimidade, chamamos Jesus de canto e o repreendemos pelo que não ocorreu como esperávamos. Dessa forma, dizemos a Deus que ele está errado. Reclamamos dos pais, do casamento, do namoro, da escola, da faculdade, do dinheiro, das roupas, da saúde, da aparência etc. Em um momento o reconhecemos como Deus e Senhor, e na hora seguinte estamos insatisfeitos com o que ele nos deu.

Lutamos para aceitar um Cristo que quebra nossas expectativas. Não queremos aceitar um Cristo que guia a história do jeito dele, de uma forma que, muitas vezes, não tem lógica para nós. Para Pedro, não fazia o menor sentido que o libertador de Israel morresse numa cruz romana. Mas nós temos o fim da história.

Lembre-se que Pedro não está lendo Mateus 16, mas nós estamos. Lemos o relato pensando em voz alta: "Pedro, não é bem assim. Você deveria considerar suficiente o sacrifício de Cristo". Mas quando se trata de nossa própria vida, não temos *spoilers*. Não estamos lendo o livro com a resolução de nossos problemas. De fato, não sabemos se Deus nos dará ou não o que esperamos receber. Também não temos explicações para ele ter agido como já agiu. Não sabemos o motivo de Deus não ter nos dado o emprego desejado ou mais recursos financeiros. Não sabemos por que Deus nos deu pais que não nos entendem ou uma aparência que não nos agrada. Não sabemos a razão de o casamento esperado ainda não ter acontecido. Não conhecemos em detalhes os planos divinos. Mas temos a revelação mais importante: ele é o Cristo, o Filho de Deus. Isso deveria ser suficiente. O fato de ele ser o Cristo, o criador, o profeta enviado, deveria ser o bastante para que confiássemos em seu plano, mesmo quando esse plano não faz sentido para nós. Temos apenas metade da história escrita. Contudo, um dia, veremos pelos olhos do Senhor e entenderemos por que ele organizou nossa vida dessa forma. Saberemos que sempre houve um plano glorioso nas mãos daquele que guia nossa vida contra nossas expectativas porque elas não são as melhores.

Martinho Lutero dizia que não sabemos por quais caminhos Deus nos conduz, mas podemos confiar que nosso guia é bom. Eu não sei por que Deus faz determinadas escolhas para minha vida. Não raro, alguém me telefona ou manda um áudio de dezoito minutos no WhatsApp fazendo, implícita ou explicitamente, a seguinte pergunta: "Pastor, por que Deus fez isso?". Minha resposta é: "Não sei! Como eu poderia saber?". Eu tenho apenas estas certezas: sei o que Deus fez, sei que Deus é bom e que ele faz tudo para sermos mais parecidos com ele.

É comum muitas pessoas pensarem que Deus nos tira algo para trazer um substituto melhor. Mas, às vezes, o que vem em seguida é pior. Quando eu comprei um carro, um irmão da igreja me disse o seguinte:

— Pastor, depois desse o senhor vai direto para um Corolla.
— Amém! — respondi. — Fico muito feliz por você me desejar isso, mas se for um Celta 97 também está bom.

Eu não sei por que Deus age de determinadas maneiras. Alguém está escrevendo um livro e, quando chega à metade, descobre que não vai terminar porque tem um câncer. Uma pessoa está crescendo na carreira, recebe uma promoção e, então, vem a demissão. Alguém está com o casamento marcado, e acontece o adultério. Não sabemos o que ocorrerá em nossa vida, não temos a menor compreensão do que Deus pode estar preparando para nós. Quem sabe são planos completamente além do que esperávamos, como também podem ser planos que não fazem o menor sentido comparados às nossas perspectivas. Mas, certamente, fazem sentido no plano daquele que é o Deus vivo e que sabe o que está fazendo. Deus trabalha contra nossas expectativas. É maravilhoso perder para Deus. É incrível quando Deus tem outro plano, porque sabemos que ele endireita nossa rota. Há um Senhor que corrige nossas expectativas e nos mostra um caminho completamente novo.

Pedro foi muito educado ao chamar Jesus de canto para repreendê-lo, mas Jesus não era assim tão educado quanto Pedro. Jesus nunca leu *Como fazer amigos e influenciar pessoas*. O verso 23 relata: "Mas Jesus, voltando-se, disse a Pedro...". O termo "voltando-se" dá a ideia de que Jesus se voltou para os outros. Pedro estava falando com ele, reservadamente, até que Jesus se vira para os outros e começa a repreender Pedro publicamente. Em alguns momentos, parece que Jesus não tinha muito trato social. Jesus, muitas vezes, não se encaixa em nossas regras de etiqueta. Somos civilizados demais para lidar com ele. Olhando para Pedro, ele deu uma resposta simples, tranquila, humilde e mansa para todos ouvirem: "Saia da minha frente, Satanás! Você é para mim uma pedra de tropeço, porque não leva em consideração as coisas de Deus, e sim as dos homens" (16.23).

A mensagem de Jesus para Pedro foi que este estava emprestando a voz para que o diabo falasse por seu intermédio. Aquilo que Pedro ofereceu a Jesus é a mesma coisa que o diabo ofereceu a Cristo na tentação do deserto (parece que ele não se cansa e repete a mesma tentação por vias diferentes!): "Tudo isso lhe darei se, prostrado, você me adorar" (Mt 4.9). O diabo ofereceu a Jesus uma glória sem cruz, uma vitória sem sacrifícios. É a mesma oferta de Pedro a Jesus. Uma vitória sem morte, uma conquista pela espada. Todavia, para Jesus, essa mensagem é diabólica, porque é uma mensagem humana. Jesus diz que essa mensagem é diabólica porque Pedro cogita os planos dos homens, não os pensamentos de Deus. Muitos pensam que diabólico é aquilo que vem acompanhado do número 666, de um pentagrama de sangue, com sacrifícios e velas pretas num cemitério às três horas da manhã. Mas, não raro, algumas ideias são diabólicas simplesmente porque são humanas. São diabólicas porque são mensagens desta vida para esta vida.

A mensagem de Pedro não é diabólica por nos mandar amar o diabo. Ela diz "apenas" que Jesus não precisava se preocupar com a cruz, com o sacrifício. É um evangelho de confirmação da expectativa de um reino agora, de seus sonhos agora, de sua melhor vida agora, de um Cristo que não é nada mais que um instrumento para realizar seus projetos e lhe dar aquilo que você tanto quer. É a mensagem do evangelho da prosperidade, de um cristianismo que só quer resolver os seus problemas. São as novas que o povo de Cesareia de Filipe tem para dar a respeito de Cristo e das quais o mundo, hoje, também compartilha. O mundo olha para Jesus e compra o evangelho que é desta vida para esta vida. Ele vende uma mensagem de que Deus pode resolver nossas questões e realizar nossos sonhos se tão somente acreditarmos.

Inúmeras vezes, rejeitamos os evidentes absurdos teológicos da teologia da prosperidade, mas nosso coração já abraçou, há muito, a ideia de que só podemos ser felizes se Deus nos der aquilo que esperamos. Sem perceber, adotamos um evangelho do diabo, um evangelho que cheira à enxofre, uma mensagem diabólica que nos engana porque é apenas para esta vida. As pessoas vão à igreja para recarregar as baterias, para serem mais felizes e terem uma semana abençoada, porque esqueceram que o relacionamento com Deus não é simplesmente horizontal, mas é também vertical e marcado pela submissão como reconhecimento de sua autoridade. Deus não existe para realizar nossas vontades, mas para ser nosso Senhor e Rei. Ele existe para ser nosso Cristo, aquele que morreu em nosso lugar por nossos pecados.

Em Mateus 16.24-27, o texto bíblico explica como ser um cristão. Jesus mostra que devemos seguir três passos. No versículo 24, ele diz a seus discípulos: "Se alguém quer vir após mim" — essa frase traz a ideia de seguir, andar junto — "negue a si mesmo, tome a sua cruz e siga-me".

A mensagem do evangelho começa com uma negativa, com um abandono. Aquele que ainda está temeroso de se aproximar de Deus ainda está temeroso de negar a própria existência. O mundo nos ensina a investir em nós mesmos. Fazemos curso de inglês, vamos à academia para malhar o corpo, seguimos a dieta da proteína e escondemos características físicas que nos desagradam. Estudamos, acumulamos conhecimento, somos aprovados no vestibular, fazemos a graduação, aperfeiçoamos o currículo e seguimos a vida investindo em nós mesmos. Tentamos nos tornar máquinas que funcionem de maneira otimizada.

O primeiro passo para encontrar o caminho da fé é negar quem somos. O mundo diz que o caminho da felicidade é aceitar a si mesmo, mas Jesus diz o oposto. O caminho da fé é um caminho de exclusão, de rebaixamento, de negação. Jesus não está falando, simplesmente, de negar prazeres e sonhos ou sacrificar algo de que gostamos. Ele fala de negarmos quem nós somos. Quem éramos antes dele? Como vivíamos antes dele? Qual era nossa religião antes de encontrarmos o Mestre? O que dava razão para nossa existência? Tudo isso acabou. O seu relacionamento com Deus não é uma reforma na casa, não é como adicionar um cômodo ou construir mais um andar, mas é explodir tudo, cavar o alicerce e construir outra casa a partir de Deus. Se ainda estamos cheios de nós mesmos, é porque ainda estamos vazios de Deus, pois o caminho de encontrar o Senhor e ser cheio do Espírito é uma trilha de esvaziamento diário. Não há como conciliar o orgulho, a altivez e o egoísmo com a busca por Jesus. Você deve negar a si mesmo.

Durante meu período de seminário, sempre quando jantava antes de ir à aula, eu assistia ao primeiro bloco da novela *Malhação*, porque era fascinado pela música de abertura. Eu achava incrível como aquela música era um antievangelho. Parecia que Satanás tinha lido Mateus 16 e dito "vou fazer o contrário", então compôs a abertura da *Malhação* daquela época. A canção dizia: "Vamos nos permitir, vamos viver tudo que há pra viver". Todavia, o evangelho diz exatamente o oposto: o caminho para encontrar Deus é o de negar a si mesmo. Ao invés de viver o que há para viver, é dizer: "Não vivo mais eu, mas Cristo vive em mim", pois a vida que agora vivo eu vivo pela fé em Cristo Jesus. Não vivo mais como eu vivia, agora tenho outra existência. Meus desejos, anseios e planos são outros. O evangelho não é um "puxadinho" na minha casa, não é um compromisso adicional na agenda, mas é algo que toma tudo o que eu sou. Eu sou outra pessoa, porque eu vivo o evangelho. Sou completamente novo, porque vivo em Cristo.

Muitas pessoas pensam que precisam seguir o próprio coração. Mas, se você seguir o seu coração, você irá para a estrada do inferno. Todos os seus sonhos e objetivos têm de ser filtrados pelas lentes do evangelho, não por suas próprias lentes. Você não é confiável. O mundo não gira ao seu redor. O mundo gira ao redor de Cristo, e é você que precisa orbitar em torno dele. Você precisa tirar o *self* do altar e deixar Cristo reinar sobre você. "Negue a si mesmo, tome a sua cruz" — existe um abandono de quem nós somos e existe uma tomada de quem Cristo é. Ele não diz "tome a coroa de Cristo, as glórias de Cristo", mas sim "tome a cruz". Naquela época, a cruz era um instrumento de morte para os mais terríveis criminosos políticos do Império Romano. Era equivalente a uma cadeira elétrica, um bimotor de fuzilamento, uma forca ou uma injeção letal. Não havia nenhuma conotação religiosa na cruz romana. Ela era um instrumento de pena capital.

Hoje, algumas igrejas enfeitam a cruz com luzes e a usam como adereço decorativo, mas a cruz era apenas um instrumento de morte. Jesus olha para seus discípulos, antes da crucificação, e diz que quem quiser segui-lo precisará negar a si mesmo e tomar a sua cruz. É como dizer que o caminho da fé é pegar a sua cadeira elétrica e seguir Jesus ou pegar a sua forca e acompanhar o Mestre. Ele usa uma linguagem extremamente forte para falar de morte. É importante deixar claro que a ideia de Jesus não é, literalmente, atentar contra nossa vida de alguma maneira, mas a imagem aqui evocada é de um caminho de renúncia e sacrifício.

Você já teve a convicção de que iria morrer? Em algum momento da vida, é possível que tenha sido vítima de um assalto, sofrido um acidente ou passado por uma situação-limite. Eu já tive convicção de que iria morrer em um voo no dia seguinte ao acidente do time da Chapecoense. O clima dos passageiros era de tensão devido à tragédia recente. Nessa viagem, eu experimentei a maior turbulência aérea de minha vida. Somente depois disso eu descobri que turbulência não derruba avião, mas, naquele instante, eu tinha certeza de que derrubaria. O avião balançava tanto que as pessoas começaram a gritar, uma passageira chegou a vomitar, uma criança caiu no choro e uma idosa iniciou a sua reza alto e bom som. Tudo chacoalhava. Enquanto todos estavam em pânico, eu permaneci tranquilo. O problema foi quando todos se silenciaram ao mesmo tempo. O avião descia, eu descolava da cadeira, e o cinto me puxava de volta. Eu via as outras cabeças subindo e descendo juntas, todos os tripulantes num mesmo movimento. Naquele ponto, tive uma convicção profunda: "Vou morrer. Acabou. O avião vai cair, e este vai ser o meu fim". Até hoje me lembro da oração que fiz. Eu imaginava que diria as mais belas palavras para Deus, mas apenas demonstrei o mais íntimo do meu coração. Acredito que seja assim para todas as pessoas. Tive plena convicção da minha morte, e foi uma sensação terrível. O evangelho evoca em nós a sensação de morte. O convite que ele nos faz não é uma brincadeira. É um chamado sério que deve fazer nossos joelhos balançarem e nossos lábios tremerem enquanto balbuciamos timidamente as últimas palavras.

Jesus nos convida a abandonar quem nós somos e abraçar uma cruz romana para morrermos nele, deixando todo o resto para trás. Colocar-se diante de Jesus é entregar a vida inteira no altar. É dizer para ele que tudo o que temos, tudo o que somos, tudo o que fizemos ou poderíamos ter feito lhe pertence. É acatar seu pedido e entregar tudo o que ele requisitar. Você não vive mais, pois já morreu. Se você encontrou Jesus, você vive agora pela ética do reino para glorificar a Jesus. Essa é única tarefa que você tem na vida, pois você não existe mais.

Certo dia, vi um pastor no seminário tentando chamar os jovens para a obra missionária. Àquela altura, os refugiados eram o assunto do momento. O pastor disse que os campos de refugiados eram uma oportunidade missionária, e um dos jovens ouvintes disse: "Eu quero ir, pastor". O ministrante lhe perguntou se ele tinha certeza da decisão, se ele sabia tudo o que aquilo lhe custaria. Nunca me esquecerei do que aquele jovem respondeu: "Pastor, eu já perdi tudo na cruz. Eu não tenho mais nada!".

Ninguém é mais perigoso do que o homem que sabe que nada tem a perder. Ninguém é mais poderoso no reino do que alguém que já sabe que perdeu tudo. Dinheiro, reputação, fama e sucesso não valem mais nada. Estamos no intervalo entre o impacto e a queda. Vivemos no hiato da existência, em que tudo o que precisamos fazer é tornar o nome dele cada vez mais conhecido e glorificado, daqui até a eternidade. Você é um camicase convicto de que morrerá por uma missão. Mas não por uma missão violenta, e sim pela incumbência de manifestar o amor de Deus ao mundo e fazer o necessário para que o mundo receba esse amor. Você assumiu o compromisso de entregar a sua existência para fazer o amor do Senhor conhecido.

O caminho da fé é de morte, de negar a si mesmo, de carregar a cruz e seguir Jesus. Seguir a obra de Cristo e a vontade dele. Mas o incrível é que, se nós o seguirmos em sua morte, certamente o seguiremos em sua ressurreição. Ele nos convida a morrer, não para que fiquemos inertes dentro de uma cova, mas para que ressuscitemos nele e tenhamos nele a verdadeira vida. Ele nos chama para a morte a fim de que possamos viver como nunca vivemos antes, sentindo o que nunca sentimos. Ele nos mostra que, na verdade, já estávamos mortos e que morrer para esta vida falsa é encontrar a verdadeira vida. A entrega custará tudo, mas a recompensa é inimaginável. Nós somos crianças brincando na lama, dizia C. S. Lewis, rejeitando os convites para os banquetes que Deus nos oferece. Enquanto não entendermos que há uma vida real em seguir Jesus, continuaremos amando as pequenezas deste mundo e acreditando no povo de Cesareia de Filipe em vez de no Deus vivo.

O Evangelho de Lucas diz: "dia a dia tome a sua cruz..." (Lc 9.23). Você sabe que fez isso se existe uma cruz pesando sobre seus ombros agora. A cruz não é um fardo que você pega apenas para uma caminhada. Não é uma vacina que você recebe somente uma vez. Ela permanece com você, sendo carregada até o fim da vida. A cruz é nossa marca. O evangelho custará algo todo dia. Ter encontrado Jesus arrancará algo da sua existência diariamente. Você não experimentará aquilo que o mundo chama de vida plena, mas que, na realidade, é mentira, morte, pecado e inferno. À medida que se sacrifica a cada dia, você completa um peso de glória acima de toda comparação que é reservado àquele que é íntimo de Deus.

O texto de Mateus 16.25 diz: "Pois quem quiser salvar a sua vida a perderá; e quem perder a vida por minha causa, esse a achará". Você pode ter chegado até este ponto da leitura e começado a pensar: "Isso tudo é muito bonito, mas eu sou só um crente normal. Só quero viver a minha vida, ir à igreja, cumprir minhas obrigações e dar o dízimo em dia". No entanto Jesus diz que o interesse em preservar a sua vida faz você perdê-la.

Há interesses, mesmo na vida comum, aos quais você se apega mais do que deve. Quando me mudei de casa, havia um ninho de rolinhas no novo quintal. Elas estavam crescendo, e minha esposa e eu decidimos deixar a natureza seguir seu curso. No dia em que as rolinhas já estavam suficientemente crescidas para voar, dois filhotes foram embora, mas um ficou caído no chão. A mãe foi embora e deixou uma fêmea para morrer — a natureza é horrível, apesar de maravilhosa. Decidimos que não iríamos interferir. Mas, depois de um tempo, nos compadecemos: "Não podemos deixar a coitada lá". Fomos até o local, pegamos a rolinha, demos comida na boca dela. Depois de três dias, ela morreu. Provavelmente, morreu porque não a deixamos lá para os pais a buscarem ou a alimentarem da forma natural. Tanto nos afeiçoamos ao pobre pássaro que, possivelmente, o matamos por causa disso. Nós nos apegamos a ponto de perder.

A vida é isso. Você se agarra à vida e se apega tanto a ponto de perdê-la. Vive com seus sonhos, prazeres e pecados de estimação e, quando menos esperar, estará queimando no inferno sem saber por quê. Certamente, o motivo foi que você se apegou ao que não deveria. Apegou-se a uma vida que é curta, esquecendo que existe uma eternidade de glória prometida pelo próprio Deus. Aquele que quiser preservar a vida vai perdê-la. Não adianta tentar juntar água nas mãos, pois ela escorrerá por entre os dedos. Tentar guardar uma vida para si é juntar dinheiro debaixo do colchão em época de inflação. Você perde a vida sem perceber. Cada segundo vivido é um segundo perdido. Cada dia vivido é um dia perdido. Cada aniversario é um ano a menos.

Quando eu ia à praia com a família, meu pai costumava dizer: "Cuidado, Yago, que o mar não tem cabelo". Na água, você não tem no que segurar. Na vida, também não. Não é possível reaver o dia ou o ano que passou, pois a vida está se esvaindo todos os dias diante dos seus olhos. Se você se apegar a isso, vai perdê-la e viver inutilmente. Somente quando você se desapegar desta existência, olhar para o outro lado e entender que há um céu de glória para além daqui, é que terá condições de viver aqui com a perspectiva correta. Uma vida usada para o reino e a glória de Deus.

O texto prossegue: "e quem perder a vida por minha causa, esse a achará" (Mt 16.25). O Evangelho de Marcos acrescenta: "quem perder a vida por minha causa e por causa do evangelho, esse a salvará" (Mc 8.35). Somente quem perder a vida por Jesus preservará a vida nele. É interessante que os autores não falem somente de perder a vida, mas de uma perda motivada por Jesus, porque existem muitas razões pelas quais você pode perder a vida. Você pode perder a vida vivendo pelos bens, pelos prazeres, pela busca de riquezas, pela conquista de interesses. Mas há uma causa pela qual vale a pena morrer: Jesus e sua mensagem.

De que adiantaria ganhar o mundo inteiro, satisfazer todos os desejos e pecados mais obscuros, ter tudo aquilo que sonhou, e perder a alma diante de Deus? De que adiantaria ter tudo, e, no fim, passar a eternidade separado de Deus? O que você daria em troca da própria alma? O que daria em troca da vida eterna? Em alguns velórios, vemos pessoas dizendo que dariam tudo para ter o amigo ou parente de volta. Mas o que elas — e você — dariam para ter a vida eterna com Deus? O que ele cobra é, simplesmente, tudo. O que Deus requisita para que você viva a eternidade com ele é que você se entregue como sacrifício — o que ainda é muito pouco! É pouco porque você e eu não valemos nada. Fomos corrompidos pelo pecado, destruídos por nossas próprias misérias, mas Deus ainda assim nos aceita em sua misericórdia quando nos damos em sacrifício a ele. Como Deus é capaz de aceitar pessoas como nós? O que valemos e o que temos? A verdade é que nós não somos o pagamento — Cristo foi. Ele morreu em nosso lugar e só pede que nos entreguemos, desesperadamente, para receber, por graça e misericórdia, aquilo que ele fez.

"Porque o Filho do Homem há de vir na glória de seu Pai, com os seus anjos, e então retribuirá a cada um conforme as suas obras" (Mt 16.27). Marcos e Lucas acrescentam que aquele que se envergonhar de Cristo também será motivo de vergonha para o Filho do Homem (Mc 8.38; Lc 21.27). Jesus agirá desse modo para nos dar exatamente aquilo que procuramos nesta vida, pois o que fazemos aqui ecoa na eternidade, como diz um filme famoso. Passaremos a eternidade recebendo aquilo que esperamos de Deus. Se você quer passar esta vida fugindo dele, passará a eternidade longe dele. Se passar esta vida perto de Deus, buscando viver nele, terá a eternidade com ele.

O texto bíblico afirma que Jesus nos julgará segundo as nossas obras. Os reformados (entre os quais me incluo) creem em justificação somente pela fé, ou seja, não são nossas obras que compram nossa salvação. Mas, no último dia, Deus nos avaliará por completo. Não vemos o coração das pessoas, por isso estamos suscetíveis a ser enganados por palavras. Todavia, no último dia, Deus não nos julgará pelo que dissemos, mas pelo que fizemos. Existe uma vida pautada no evangelho? A fé declarada pela boca é confirmada na prática? No dia do juízo, seremos examinados pelas obras, porque Deus verá se houve frutos nascidos da fé que confessamos. Deus vê o coração e sabe se você tem vivido de acordo com o seu coração. Ele conhece o pecado que você disfarça com a língua e sabe se você tem vivido o que a Palavra exige. Há uma fé real em você? Deus dirá se essa fé existe ou não com base na cruz que você carrega sobre os ombros. Custará tudo, mas, no fim das contas, somente uma vida de acordo com a obra de Deus vale a pena.

5
Quão belos são os pés com bolhas: O cristianismo ainda acredita em autoflagelo e sacrifício humano

Você gosta do seu corpo? Sua resposta pode ser: "Depende. Eu gosto de ter um corpo e não gostaria de perder um braço ou uma perna, mas não estou satisfeito com minha aparência". Vivemos numa época em que o ódio que tantas vezes nutrimos por nossa imagem configura mais o fruto de uma paixão desordenada pelo corpo do que qualquer outra coisa. Nutrimos tanto amor pelo dinheiro a ponto de ficarmos completamente desconcertados diante de sua falta. Você pode ser um pobre ganancioso e, porque ama o dinheiro sem tê-lo, despreza constantemente a soberania e bondade de Deus nas quais vive. Muitas vezes, por amar profundamente seu corpo, você o despreza. Você o ama tanto que o fato de ele não ser como você gostaria provoca abalo e tristeza extremos. Nossa época nos incentiva a relacionamentos disfuncionais. Nas redes sociais digitais, por exemplo, em que qualquer pessoa tem um estúdio de cinema nas mãos, compartilhar o próprio corpo se tornou muito fácil.

Rolando o *feed* do Facebook, "zapeando" no WhatsApp e navegando pelo Instagram, o que vemos é uma quitanda de corpos à mostra. Pessoas investem pesado em academias na busca de um bom *shape*, a fim de "esculpir" o próprio corpo. Muitas delas têm uma vida que gira em torno da aparência e das mais variadas e absurdas dietas, no intuito de que o corpo se adéque ao interesse estético. Esse amor pelo corpo pode chegar a níveis libidinosos, que se manifestam em práticas como masturbação, sexo livre, o uso inesgotável do corpo para o prazer. Em suma, é um tempo em que homens e mulheres amam seus corpos.

O problema é que o convite do evangelho nos apresenta um relacionamento diferente com o corpo, ao entregá-lo a Deus. Essa entrega envolve a fisicalidade no nível mais literal que possamos imaginar. Em Romanos 12.1, por exemplo, observamos um dos textos mais famosos a respeito da devoção do corpo ao Senhor: "Portanto, irmãos, pelas misericórdias de Deus, peço que ofereçam o seu corpo como sacrifício vivo, santo e agradável a Deus. Este é o culto racional de vocês".

Paulo está iniciando um processo mais profundo de aplicação de toda a carta. Quando lemos os capítulos 1—11, praticamente todos os verbos aparecem no indicativo, descrevendo algo. Já em Romanos 12, quase todas as conjugações estão no imperativo. A estrutura é semelhante a sermões em que os pregadores explicam minuciosamente o assunto e, depois, apresentam aplicações práticas para os ouvintes. Paulo começa a empregar, na vida das pessoas, aquilo que explicou nos onze capítulos anteriores. O apóstolo roga a esses irmãos que, pelas misericórdias de Deus, eles apresentem o corpo ao Senhor. Não pede que apresentem o ser, a beleza, a mente, o coração, tampouco a alma. Ele chama a atenção para o corpo, que deve ser entregue como sacrifício.

Na linguagem religiosa e sacerdotal que Paulo aplica, a ideia de sacrifício é de algo morto, derramado, queimado a Deus por completo. Esse sacrifício entregue a Deus no corpo é vivo, santo e agradável a ele, feito em um culto racional, ou seja, um culto que faz sentido. Nosso corpo foi entregue como sacrifício vivo, santo e agradável, portanto entendemos que Deus se agrada de corpos sacrificados, entregues em santidade. Deus se agrada de que nossa fisicalidade seja posta no altar de adoração a ele: "E não vivam conforme os padrões deste mundo, mas deixem que Deus os transforme pela renovação da mente, para que possam experimentar qual é a boa, agradável e perfeita vontade de Deus" (Rm 12.2). Devemos nos transformar pela renovação da mente, em vez de estarmos de acordo com este século. Nesse trecho, Paulo declara, usando um paralelismo, que oferecer o corpo em sacrifício a Deus é um processo constante de renovação de quem nós somos a fim de experimentarmos uma nova vontade, que é a vontade de Deus.

Boa, perfeita e agradável não são palavras que eu usaria para me referir ao ato de sacrificar e queimar um animal em adoração a Deus. Degolar um animal e deixar o sangue escorrer não parece nem bom, nem perfeito, nem agradável. O trabalho do açougueiro não é fácil. A maioria de nós gosta de comer carne e é acostumada à comida pronta, mas quando vemos alguém matando uma galinha nós nos apiedamos e, provavelmente, já não conseguiremos comê-la com a mesma satisfação. Sacrificar animais é uma tarefa um tanto quanto asquerosa. Contudo Deus diz que há uma vontade boa, perfeita e agradável que chega a nós mediante um sacrifício, que é o corpo entregue a Deus por um processo de renovação de quem nós somos.

Você quer ser diferente do mundo? Quer ser diferente desta era? Isso custará a entrega do seu corpo em oblação. Ser distinto do mundo custará quem você é e, portanto, custará o seu corpo de, pelo menos, duas formas. Inicialmente, de forma literal: pode ser que exija o fim da sua existência física; possivelmente, custará o seu conforto físico; e, muito provavelmente, você usará o seu corpo de um modo que o prejudicará. Quando lemos a história da igreja, tomamos ciência de longos relatos de martírio, tortura e perseguição de crentes que abraçaram a fé. Hoje, quando falamos em martírio, pensamos em missionários no Oriente Médio, por exemplo, em ambientes distantes dos nossos. Contudo, para o cristão do primeiro século, martírio era uma realidade que batia à porta. Os missionários que enviamos hoje estão à disposição de Deus para que tenham o corpo vilipendiado. Em contrapartida, em nosso dia a dia, muitas vezes nos sentimos incomodados quando alguém tão somente encosta em nós numa fila. Para mim, o mais desagradável de viajar de avião é ter de sentar na poltrona do meio, pois o espaço é estreito e, inevitavelmente, as pessoas ao lado se encostarão em mim e eu ficarei constrangido. Os missionários, por sua vez, por amarem a Deus, se colocam à disposição para serem torturados, feridos e agredidos fisicamente.

Você já brigou na rua? Já levou um soco no rosto? Já foi esfaqueado? Eu nunca levei uma facada, mas já tomei e dei alguns murros no treino de *muay thai*. Você já se queimou com uma panela ou com um ferro de passar? Sofrer fisicamente não é agradável e, com certeza, é uma situação da qual sempre procuramos fugir. Aliás, basta uma dorzinha de cabeça para logo recorrermos a remédios. Enquanto isso, os missionários que apoiamos, financiamos e pelos quais oramos são homens e mulheres que, por amor a Deus, estão dispostos a morrer se assim for necessário. Há o risco de pensarmos que essa é uma atitude natural de missionários. Todavia, no contexto primitivo, todo cristão se via diante dessa possibilidade. Converter-se a Cristo significava estar à disposição para que alguém os ferisse. Acredita-se que todos os doze apóstolos tenham sido martirizados, assim como Jesus. Nós seguimos um Cristo que entregou o corpo para ser ferido a fim de que ele fosse a nossa cura e paz.

Atualmente, no Brasil, essa realidade não é assim tão impossível. Vivemos numa sociedade que, em parte, acredita na existência de uma classe de opressores e uma de oprimidos. Assim, muitas vezes é considerado justo que aqueles que são tidos como opressores recebam o vilipêndio. A afronta como ato político seria um ato de libertação. O cristão é tratado como opressor numa cultura em que o cristianismo é uma religião dominante. Nessa condição, justifica-se que o cristianismo seja insultado por causa do que representa socialmente. Não causa espanto, por exemplo, que, numa manifestação na Universidade Federal da Bahia, alguém tenha erguido uma faixa com a frase "Morte aos cristãos" — aliás, a foto dessa faixa foi a capa do meu perfil no Facebook por algum tempo, como lembrete de que esse não é um relato dos tempos primitivos, quando o imperador Domiciano matava cristãos por se recusarem a adorá-lo. Pelo contrário, aconteceu dentro de uma universidade federal brasileira no ano de 2019. Quando o *youtuber* Felipe Neto postou no Twitter sobre um missionário que se deslocou até uma ilha para pregar o evangelho e foi morto pelos nativos, muitos comentários tinham o mesmo tom de "bem feito para ele!". Para nossa sociedade, o ódio que se manifesta contra a família de Deus é justificado, e não é muito difícil que apanhemos justificadamente.

Eu não tenho muitos relatos de agressão por causa da fé. A pior situação que me ocorreu foi uma tentativa de garrafada por um homem bêbado durante um evangelismo. Na época, eu era da Igreja Assembleia de Deus. Antes de tentar me atingir, o homem disse: "É por causa de pastor que o meu filho está preso. Se eu pegar um crente desse, *taco* fogo!". A garrafa de cerveja atingiu um muro perto de nós — ainda bem que bêbado não tem boa mira. Somente depois eu descobri que o filho dele estava cumprindo pena por ter estuprado a filha do pastor. Também lembro que um rapaz foi ao lançamento do meu primeiro livro para me agredir. Ele era tão esperto que revelou seu plano e, por isso, não o deixaram entrar — novamente, que bom! Em geral, as agressões que recebemos são "simbólicas". São agressões morais, e muitas delas estão relacionadas ao campo acadêmico e profissional. Não é muito frequente, em nosso contexto, que alguém leve uma surra por ser crente, embora eu conheça jovens que apanharam dos pais quando disseram que queriam ser cristãos. Esses jovens e adolescentes, que cursavam o ensino fundamental e médio na época, precisavam ser frequentemente lembrados de que valia a pena apanhar para seguir Jesus. Pode ser que, hoje, pareça uma bobagem apanhar dos pais, mas se você teve uma infância semelhante à minha, sabe que isso era como o fim do mundo. Para uma criança ou um adolescente, apanhar dos pais por ter encontrado Cristo é aterrador; é a grande batalha, o grande martírio da vida naquele momento. Inúmeras pessoas tiveram o primeiro gostinho de perseguição dentro de casa, ainda jovens, e apesar disso muitos têm força moral para dizer que, embora o corpo sofra, vale a pena continuar professando o nome de Cristo.

Em Hebreus 11, encontramos uma impressionante relação de heróis da fé que amaram a Deus e entregaram o próprio corpo para o sofrimento em nome do Senhor. Por exemplo: "Pela fé, Abel ofereceu a Deus um sacrifício mais excelente do que Caim, pelo qual obteve testemunho de ser justo, tendo a aprovação de Deus quanto às suas ofertas. Por meio da fé, mesmo depois de morto, ainda fala" (11.4). Por que Caim matou Abel? Porque o sacrifício de Abel foi aceitável a Deus, enquanto o de Caim não foi. O coração de Caim estava afastado de Deus, e ainda que fisicamente ele estivesse fazendo o mesmo que Abel, seu interior não estava prostrado a Deus. O que ele faz? Ele se arrepende quando percebe a fé na vida do irmão? Não. Ele odeia o irmão e o mata.

Abel foi morto porque era crente, porque era santo e porque entregou um sacrifício aceitável perto de alguém que estava longe de Deus. Aquele que estava distante de Deus odiou a sua santidade. O preço que Abel pagou foi a própria vida como sacrifício, tendo imaginado que oferecer alguns animais a Deus já valeria como oferta — na realidade, esses animais eram apenas o prenúncio do que Abel entregaria adiante. Ele foi imolado pelo próprio irmão por amar a Deus. Porque amava a Deus, o seu corpo foi destruído. Entretanto o texto afirma que, mesmo depois de morto, Abel ainda fala. O seu sangue ainda clama, declarando louvor ao nome de Deus, porque o sangue derramado louva o nome do Senhor.

Um dos pais da igreja dizia que "cada ferida aberta era uma boca a mais a proclamar a glória de Deus". Essa afirmação ilustra bem o quanto os cristãos sofriam fisicamente pela glória do Senhor. Em Hebreus 11.8-9, lemos:

> Pela fé, Abraão, quando chamado, obedeceu, a fim de ir para um lugar que devia receber como herança; e partiu sem saber para onde ia. Pela fé, peregrinou na terra da promessa como em terra alheia, habitando em tendas com Isaque e Jacó, herdeiros com ele da mesma promessa.

Habitar em tendas, naquela cultura, significava morar numa instalação provisória e não muito agradável. Significava correr o risco de ter a moradia roubada. Não se tratava, portanto, do local mais adequado para viver. No momento em que Deus ordenou que Abraão saísse de sua terra e fosse para outro lugar, Deus estava dando ao corpo de Abraão uma vida menos confortável. Abraão passou a ter uma vida mais dolorosa fisicamente e menos cômoda materialmente, porque creu na promessa de que, por meio dele, viria uma grande nação. Ele tinha uma casa para morar, mas abriu mão dela para dormir em barracas móveis a fim de vivenciar a promessa que Deus lhe havia feito. Nosso corpo pode sofrer quando seguimos aquilo que Deus prometeu para nós.

Adiante, em Hebreus 11.17, ainda referindo-se a Abraão, o texto diz: "Pela fé, Abraão, quando posto à prova, ofereceu Isaque. Aquele que acolheu as promessas de Deus estava a ponto de sacrificar o seu único filho". Porque Abraão creu, Isaque se entregou ao sacrifício. O relato não esclarece completamente, mas existe a possibilidade de que Isaque soubesse o que o pai faria com ele. Possivelmente, Isaque se entregou de forma voluntária ao sacrifício. Abraão estava disposto a ver a morte diante de si porque acreditava no que Deus dizia. O trecho de Hebreus interpreta o relato de Gênesis revelando que Abraão tinha certeza de que Deus poderia ressuscitar Isaque. Você acredita que Deus pode ressuscitar alguém? Em geral, acreditamos que, por meio de médicos, Deus pode reviver alguém no momento imediatamente seguinte à morte. No máximo, existe um momento de emoção em volta do corpo sem vida, com a esperança de que Deus ainda possa fazer o que a medicina não é capaz. Mas, depois que Abraão matasse Isaque, o cadáver seria colocado em chamas. Ainda assim, o pai tinha fé em que Deus poderia tomar as cinzas de Isaque e transformá-las em seu filho novamente. Abraão tinha fé em que Deus poderia usar isso para a glória de seu nome.

Passemos a Hebreus 11.23-26, que tratam de Moisés:

> Pela fé, Moisés, depois de nascer, foi escondido por seus pais durante três meses, porque viram que era um menino bonito e não temeram o decreto do rei. Pela fé, Moisés, sendo homem feito, recusou ser chamado filho da filha de Faraó, preferindo ser maltratado junto com o povo de Deus a usufruir prazeres transitórios do pecado. Ele entendeu que ser desprezado por causa de Cristo

era uma riqueza maior do que os tesouros do Egito, porque contemplava a recompensa.

Moisés era um dos homens mais importantes do mundo naquela época, mas se recusou a ser neto do faraó, filho da filha do faraó, porque preferiu estar junto de escravos e ser maltratado com o povo de Deus de modo a não usufruir dos prazeres efêmeros do pecado. Por não querer o pecado, Moisés sofreu: em vez de dormir no palácio, o lugar mais opulento de seu tempo, dormia com os escravos, perto dos chicotes dos capatazes e das doenças dos trabalhadores.

O que a santidade cobra para o seu corpo? Quais são os sofrimentos físicos que você sofre por ser santo? Assim diz Hebreus 11.35-38:

> Alguns foram torturados, não aceitando seu resgate, para obterem superior ressurreição; outros, por sua vez, passaram pela prova de zombarias e açoites, sim, até de algemas e prisões. Foram apedrejados, serrados ao meio, mortos ao fio da espada. Andaram como peregrinos, vestidos de peles de ovelhas e de cabras; passaram por necessidades, foram afligidos e maltratados. O mundo não era digno deles. Andaram errantes pelos desertos, pelos montes, pelas covas, pelos antros da terra.

Nós temos uma grande nuvem de testemunhas, homens e mulheres que sofreram fisicamente pelo Deus que eles amavam, em prol da fé que lhes cobrou a entrega do corpo para o sofrimento, a dor, o vilipêndio, a tortura. Quando conhecemos a história de missionários e mártires e vemos o que eles enfrentaram por causa do evangelho, encontramos uma multidão de pessoas que consideraram a própria existência menos valiosa que a salvação dos perdidos. É possível que você aceite de bom grado quando o cristianismo cobra o namoro, o tempo, o dinheiro, mas quando o cristianismo cobrar o seu corpo, a sua vida, você continuará disposto a seguir Cristo até a morte? Vivemos num maravilhoso contexto de liberdade religiosa, mas que nem sempre existiu e nem sempre existirá. O livro de Apocalipse menciona um tempo no qual seremos perseguidos, e quem nos matar acreditará estar prestando um serviço a Deus. Os modelos políticos de poucas décadas atrás matavam e perseguiam cristãos, especialmente aqueles que não se submetiam à força política. Por exemplo, na Alemanha nazista, no Terceiro *Reich*, os cristãos da Igreja Confessante, que se opunham à igreja dos cristãos alemães de Hitler, eram mortos. Dietrich Bonhoeffer, um grande teólogo e escritor estudado nos seminários de teologia, foi assassinado a mando da Gestapo. Na União Soviética, a Igreja Ortodoxa Russa foi perseguida, e doze milhões de cristãos foram mortos. No Camboja, o revolucionário e político Pol Pot foi responsável pela morte de aproximadamente 25% da população do país. Neste exato momento, cristãos estão sendo assassinados no mundo inteiro. Hoje no Brasil, vivemos em paz, mas nossos missionários, um dia, talvez não vivam. Pode ser que Deus levante você para sair de um ambiente seguro e correr para onde a batalha é mais intensa.

Será que apoiaríamos nossos colegas se eles decidissem ir para um lugar onde serão perseguidos como criminosos simplesmente por pregar o evangelho? Será que nos importamos com os ambientes nos quais cristãos estão sendo perseguidos e torturados para que renunciem a fé e abandonem Cristo? Presume-se que, no século 20, morreram mais cristãos perseguidos no mundo do que nos dezenove séculos anteriores, e que vivemos na época em que mais se persegue e mata cristãos no mundo. Estamos falando de hoje. Existe a possibilidade de essa realidade bater à nossa porta, a depender de revoluções políticas que acontecerem.

Ela pode bater à porta de nossos filhos ou netos, e precisamos prepará-los para isso. Mas você só fará isso se você crer nisso. É possível que Deus levante pessoas para campos missionários de perseguição, dor e dificuldade. Teremos força para apoiar os que estão dispostos a sofrer? Você apoiará quem está disposto a entregar o corpo por Cristo apenas se você mesmo acreditar que essa é uma escolha coerente e que, ainda que abram sulcos na sua pele e na sua alma, a eternidade diante de Deus estará garantida. Se não acreditarmos nisso, nunca seremos como a nuvem de testemunhas que está na arquibancada, olhando para nós, da qual fala Hebreus 12.1-2:

> Portanto, também nós, visto que temos a rodear-nos tão grande nuvem de testemunhas, livremo-nos de todo peso e do pecado que tão firmemente se apega a nós e corramos com perseverança a carreira que nos está proposta, olhando firmemente para o Autor e Consumador da fé, Jesus, o qual, em troca da alegria que lhe estava proposta, suportou a cruz, sem se importar com a vergonha, e agora está sentado à direita do trono de Deus.

Temos uma comunidade de pessoas que foram mortas em nome de Deus e que, diante dele, encorajam os santos. Antes de chegar lá, devemos nos desembaraçar do peso do pecado que tanto assola nosso corpo. Paulo fala sobre isso em 1Coríntios 15, mas em referência ao próprio ministério. Em 1Coríntios 15.30-34, o apóstolo discorre a respeito da doutrina da ressurreição:

> E por que também nós nos expomos a perigos a toda hora? Dia após dia, morro! Eu afirmo isso, irmãos, pelo orgulho que tenho de vocês, em Cristo Jesus, nosso Senhor. Se, como homem, lutei em Éfeso contra feras, qual foi o meu proveito? Se os mortos não ressuscitam, "comamos e bebamos, porque amanhã morreremos". Não se enganem:

"As más companhias corrompem os bons costumes." Voltem à sobriedade, como convém, e não pequem. Porque alguns ainda não têm conhecimento de Deus. Digo isto para vergonha de vocês.

Em outras palavras, Paulo pergunta: se não existe ressurreição dos mortos, então por que nos expomos ao perigo constantemente? Paulo corria riscos porque ele cria na ressurreição. Ser crente é perigoso. Se você deseja viver em segurança e ter controle total de sua vida, procure outra resposta, não o cristianismo. Ser cristão de verdade exigirá que você passe pelo que Paulo descreve como "morrer dia após dia".

Nós, cristãos, temos medo de participar de obras missionárias perigosas. Eu costumo levar meus alunos do seminário para a Praça do Ferreira, no centro de Fortaleza, durante a disciplina de Evangelismo. Tenho sempre a mesma conversa com eles: "Nós vamos, mas eu não posso garantir a segurança de ninguém. Fiquem em duplas, não deixem nenhuma mulher sozinha, não sigam ninguém, não entrem em becos escuros. Mas saibam que a gente pode não voltar." Na primeira vez que fui ao local, ainda sem saber como seria a experiência, minha esposa perguntou a que horas eu voltaria para casa. Minha resposta foi: "Amor, eu não sei se volto. Ore para que eu volte". Muitas vezes, como cristãos, teremos de nos colocar em circunstâncias de risco, assumir atitudes que ninguém assumiria, receber pessoas que ninguém receberia. Tudo pelo bem do evangelho. Muitos dirão que algumas situações são exageradas e radicais, e que o próprio Deus não as aprovaria. Mas ele ordenou que entregássemos nosso corpo e que nos afastássemos daqueles que tentam nos convencer do contrário.

Em 1Coríntios 15.33, Paulo fala da doutrina da ressurreição e de sua aplicação prática citando um ditado: "As más companhias corrompem os bons costumes". Nós convivemos com pessoas que tentam nos convencer de que nosso corpo é importante e que ele deve ser preservado, embelezado e exposto. Começamos a acreditar que não vale a pena entregar o corpo para Deus e que nem ele próprio faz esse pedido. Assim, por medo do perigo, pais desencorajam os filhos a abraçarem a causa missionária. Com isso, ensinam que eles mesmos são a fonte de cuidado e segurança e que não vale a pena sacrificar tudo isso pelo Deus vivo. Querem que os filhos vivam um cristianismo controlado, dentro de uma linha protetora, esquecendo que, muitas vezes, Deus nos chama para o perigo a fim de que as boas-novas sejam pregadas.

A cena mais bonita do atentado de Onze de Setembro — aliás, a única — é a dos bombeiros correndo ao encontro da torre que estava caindo, enquanto todos ao redor iam para longe da explosão. Enquanto alguns fugiam, outros seguiam em direção ao perigo. Nós somos as pessoas que correm em direção à batalha, que se entregam ao combate. Entre Jerusalém e Jericó, havia uma estrada conhecida popularmente como "via sangrenta". Ela havia recebido esse nome por ser um dos caminhos mais perigosos e íngremes daquela época. Jesus apresenta uma narrativa sobre um judeu que foi roubado, espancado e deixado para morrer ali. Um sacerdote passa pelo local, vê a vítima, mas sai correndo por se tratar de um lugar muito perigoso. Posteriormente, um levita também passa pelo local, igualmente sem parar para ajudar. Por fim, um samaritano que está do outro lado da rua vê o homem caído e vai em sua direção. Era muito provável que aquilo fosse um golpe e que ele fosse roubado também, mas o samaritano se coloca em risco para salvar alguém que, teoricamente, seria um prejuízo para ele.

É provável que você não seja perseguido fisicamente, mas há uma segunda maneira de louvar a Deus com nosso corpo e continuar entregando-o a ele como sacrifício racional: oferecer nosso corpo à santificação para que Deus seja louvado. Vejamos o que diz 1Coríntios 6.13-15,18-19:

> Porém o corpo não é para a imoralidade, mas para o Senhor, e o Senhor, para o corpo. Deus ressuscitou o Senhor e também nos ressuscitará pelo seu poder. Vocês não sabem que o corpo de cada um de vocês é membro de Cristo? E será que eu tomaria os membros de Cristo e os faria membros de uma prostituta? De modo nenhum! [...] Fujam da imoralidade sexual! Qualquer outro pecado que uma pessoa cometer é fora do corpo; mas aquele que pratica imoralidade sexual peca contra o próprio corpo. Será que vocês não sabem que o corpo de vocês é santuário do Espírito Santo, que está em vocês e que vocês receberam de Deus, e que vocês não pertencem a vocês mesmos?

Deus deseja ser louvado por meio de uma entrega em adoração no corpo. Fazer isso é usar o corpo para fugir do pecado e agir na produção do que é santo. Nesse capítulo de sua primeira carta à igreja de Corinto, Paulo aborda o tema do sexo fora do casamento — seja antes do matrimônio, seja numa relação de adultério. Os coríntios intentavam justificar sua vida de libido desenfreada com a seguinte declaração, citada no verso 13: "Os alimentos são para o estômago, e o estômago existe para os alimentos". A analogia que tentavam compor ao discutir com Paulo é a de que Deus nos deu desejos sexuais e também nos deu o sexo, e portanto, se eu tenho fome e me alimento, por que não podemos saciar nossas necessidades sexuais simplesmente nos entregando àquilo que satisfaz nossos desejos? Não foi Deus quem nos deu esses desejos? Então por que não podemos saciá-los quando tivermos interesse? A resposta de Paulo é esta: "Mas Deus destruirá tanto o estômago quanto os alimentos".

O primeiro argumento do apóstolo é que não podemos acreditar que nossos desejos justificam nossos atos, porque há um Deus que destruirá o desejo pecaminoso. Inúmeras vezes, agimos como animais, crendo que a vontade justifica a ação e, se há um apetite dentro de mim, isso legitima que eu aja de acordo com ele. Então, se uma moça está apaixonada por um rapaz, qual é o problema em ir atrás dele, mesmo que ele seja descrente, mesmo que ela não tenha interesse em casar, mesmo que ela só queira satisfazer um desejo físico? Se você tem algum desejo pela pessoa com quem namora, por que isso não explicaria, eticamente, o ato de saciar o desejo sexual com ela? O que Paulo afirma é que Deus promete a destruição tanto do estômago quanto do alimento. Não nos entregamos a nossos anseios porque há um Deus que destruirá aquele que se entrega ao desejo pecaminoso. Há uma destruição prometida quando vivemos para satisfazer os próprios interesses.

O texto nos mostra que Deus, de fato, criou nossas vontades, mas ele não as fez para a impureza, ou seja, para serem usadas contra ele. Ele as fez para ele. Ele construiu nosso corpo como altar de adoração, como instrumento de louvor ao nome dele. Ser cristão exigirá de você o sacrifício das vontades do corpo. Exigirá que você abandone o interesse hedonista para passar a agir como Deus deseja, porque o seu corpo não é seu para que você administre como quiser. Ele deve ser usado como altar de adoração ao nome do Senhor, porque você foi feito pelo Senhor, e Deus se dá ao seu corpo.

Em 1Coríntios 6.15, Paulo questiona: "Vocês não sabem que o corpo de cada um de vocês é membro de Cristo? E será que eu tomaria os membros de Cristo e os faria membros de uma prostituta? De modo nenhum!". O seu corpo é parte do corpo de Jesus, tendo em vista que somos todos uma grande comunidade que se une num único corpo, que é o próprio Cristo. Na continuação do trecho, Paulo apresenta uma imagem forte: quando me uno sexualmente a alguém, eu me torno uma só carne, um só corpo, com a outra pessoa, mas, se eu sou corpo de Cristo e me uno sexualmente a alguém que não é meu cônjuge, o que estou fazendo? Eu estou unindo o corpo de Jesus ao da prostituta. Eu ligo o corpo de Jesus ao corpo do pecado. Eu trago Cristo para meu ato libidinoso. Paulo pretende gerar o imaginário do absurdo que é trazer o corpo de Jesus à participação do pecado sexual. No momento em que um cristão se entrega a uma satisfação trivial dos desejos físicos, o que ele faz é, metaforicamente, levar Jesus a um ambiente de pecado, pois não está agindo de maneira condizente com seu cristianismo e está ofendendo diretamente a igreja. E também ofende diretamente a si próprio, pois, em vez de usar o corpo como louvor e instrumento de Deus, ele o utiliza para uni--lo ao pecado. A metáfora de sermos um único corpo é destruída quando o pecado ocupa o nosso ser.

Provavelmente, é por essa razão que o pecado sempre nos afasta da igreja, quando vivido continuamente e sem arrependimento. Uma vida de pecado nos faz ter vergonha de estreitar o relacionamento com outros crentes, pois temos a consciência de estar maculando o corpo. Assim, fugimos. Quando um casal de namorados inicia a vida sexual antes do casamento, a primeira consequência é o afastamento. Eles param de ir aos cultos, se afastam das amizades e começam a se isolar, porque a certeza do pecado contra o corpo da igreja e o corpo de Cristo constrange e impede uma comunhão mais firme. Em vez de correrem para o corpo, em arrependimento e em busca de ajuda, fogem da igreja para viver o pecado sem a consciência ofendida. Sacrificar as vontades do corpo, como requer a vida com Cristo, é difícil, principalmente para jovens casais não casados.

Na adolescência, eu assisti à novela *O clone* e fui profundamente marcado por uma cena em que um personagem dependente químico dizia que, se o filho lhe perguntasse como era a experiência de usar drogas, ele não diria que era ruim, mas boa. Ele diria que a droga é uma das maravilhas da vida, mas que ela destrói e mata. Se não fizesse isso, no dia em que o filho experimentasse alguma droga, o rapaz descobriria que era algo bom e deixaria de acreditar no pai. O que esse homem estava dizendo era que, mesmo que a droga seja uma boa experiência, é algo ruim. Muitas vezes, aquilo que nos faz mal é bom — se fosse ruim, ninguém iria querer.

Em um primeiro momento, o pecado que Satanás oferece se apresenta como bom. É como a primeira tragada do *crack* ou a primeira injeção de heroína — ativa o cérebro e é fisicamente agradável. Mas, tal como a droga, destrói o corpo e a vida. O pecado destrói o relacionamento com Deus. Eu não vou dizer que, quando minha esposa e eu ainda éramos apenas namorados, eu não sentia vontade de fazer sexo. Eu tenho plena convicção de que casamos virgens tão somente porque a Isa foi crente e nos impediu de pecar nessa área. Também tenho certeza de que, se eu tivesse pecado no meu namoro, teria tido experiências mais agradáveis em termos táteis, mas meu relacionamento com Deus teria sido muito mais destruído e maculado do que foi. Homens e mulheres casados também enfrentam tentações, sobretudo quando o casamento não está saudável. Satanás busca, de todas as formas, apresentar possibilidades de satisfação que não foram encontradas no matrimônio. Conheço muitos homens, crentes e descrentes, que destruíram o casamento simplesmente porque acharam em outra mulher a satisfação para o corpo. Um cristão verdadeiro, ou seja, alguém que de fato encontrou Jesus, acredita que vale a pena o sacrifício de seu conforto em nome da santificação, ainda que surjam muitas oportunidades para encontrar novas satisfações.

Com muita sinceridade, eu digo que, se o seu namoro tivesse sexo, ele seria muito mais agradável e divertido do que é agora. Largar a esposa e procurar a colega de trabalho poderia ser bem melhor do que permanecer casado por quarenta anos com a mesma mulher. No entanto, não vivemos para satisfazer os desejos, mas para sacrificar o corpo e entregá-lo a Deus. Isso vai doer. Você se questionará por que está se privando das tantas possibilidades que a vida oferece. A resposta será: Deus criou o seu corpo para ele. Você sacrificará o que for necessário, mesmo com dor e lágrimas, para que Deus seja glorificado.

Em 1Coríntios 6.18, Paulo ordena: "Fujam da imoralidade sexual! Qualquer outro pecado que uma pessoa cometer é fora do corpo; mas aquele que pratica imoralidade sexual peca contra o próprio corpo". Paulo está exortando os coríntios ao dizer que aquele que pratica imoralidade peca contra o corpo que Deus criou: "Será que vocês não sabem que o corpo de vocês é santuário do Espírito Santo, que está em vocês e que vocês receberam de Deus, e que vocês não pertencem a vocês mesmos?". A partir do momento em que encontramos Jesus, já não pertencemos a nós mesmos. Não podemos fazer com o corpo aquilo que Deus proíbe, pois agora vivemos de acordo com a vontade dele. Somos, agora, santuários do Espírito.

Todos sabem que o prédio da igreja não é santo. É apenas um local em que os crentes se reúnem. Ainda assim, ficaríamos chocados se descobríssemos que alguém usou o local para atos pecaminosos, porque esse é um ambiente que dedicamos às práticas religiosas. Diferentemente do auditório onde cultuamos, nosso corpo é, de fato, o local onde o Espírito Santo habita. Deus mora dentro de nós. Quando escolhemos o pecado sexual, estamos manchando a imagem de Deus e levando o Espírito, que habita em nós, para o pecado. Nós somos santuário e não podemos transformar nosso corpo em um prostíbulo do Espírito Santo. Isso é blasfêmia, é desonrar a morada do próprio Deus. Nosso corpo foi comprado pelo Senhor, custou a morte do Filho de Deus na cruz. Por isso, glorifique a Deus com o seu corpo. Isso não significa diminuir o carboidrato e a gordura trans ou exercitar-se pela manhã. Louvar a Deus com o corpo é correr para longe dos convites de satisfação dos próprios desejos.

Encerro este capítulo com três promessas. A primeira: o sacrifício físico do corpo, em nome de Deus, vale a pena porque receberemos um novo corpo. Há uma promessa de uma nova terra, um céu de glória e um novo corpo no qual encontraremos prazer em Deus. O texto de 1Coríntios 15, a partir do versículo 35, nos mostra um longo relato de Paulo a respeito do corpo. Ele diz que, quando morremos, nossa parte imaterial é dividida da parte material, mas, quando Jesus retornar no fim dos tempos, nossa porção material será restaurada, glorificada e, então, crentes e descrentes se unirão novamente com a parcela imaterial. Isso significa que o descrente não sofrerá eternamente no inferno como um fantasma, mas com um corpo. E esse corpo será tão físico quanto o de agora — ou mais físico ainda.

Os santos estarão diante de Deus com um novo corpo, um corpo glorificado, e louvarão a Deus recebendo prazer que vem de Deus. Não seremos espectros. Todas as bênçãos que perdemos no corpo de hoje serão multiplicadas no novo corpo quando estivermos com Deus: as papilas gustativas funcionarão como nunca imaginamos, a visão será infinitamente melhor e teremos um tipo de contato físico com a existência à nossa volta que hoje nem sequer conseguiríamos cogitar. Nós temos um corpo físico fraco, mas, em Deus, teremos um corpo extremamente forte e incorruptível, pois vencerá a morte, como afirma 1Coríntios 15.53-54,57:

> Porque é necessário que este corpo corruptível se revista da incorruptibilidade, e que o corpo mortal se revista da imortalidade. E, quando este corpo corruptível se revestir de incorruptibilidade e o que é mortal se revestir de imortalidade, então se cumprirá a palavra que está escrita: "Tragada foi a morte pela vitória". [...] Graças a Deus, que nos dá a vitória por meio de nosso Senhor Jesus Cristo".

Vale a pena sacrificar o corpo por Deus, porque o próprio Deus nos garantirá um novo corpo pela eternidade com ele. Todos os prazeres que perdemos no corpo de hoje serão compensados no corpo eterno.

A segunda promessa é que Jesus vê beleza no corpo que sofre por ele. Um dos textos missionários mais famosos da Bíblia é Isaías 52.7: "Quão formosos são sobre os montes os pés do que anuncia boas-novas, que faz ouvir a paz, que anuncia coisas boas, que faz ouvir a salvação, que diz a Sião: 'O seu Deus reina!'". O texto em hebraico traz a ideia de pés literalmente bonitos. Mas você sabe que não existiam havaianas nem tênis da Nike com amortecimento nos séculos antes Cristo. Naquela época, as pessoas andavam descalças por quilômetros para pregar o nome de Deus. Os pés de alguém que anuncia as boas-novas sobre montes e pedregulhos são pés destroçados. Mas Deus vê beleza no pé que se deforma pela pregação do evangelho, ou seja, ele vê beleza no sacrifício que é feiura para os olhos do mundo. O mundo pode achar que você fica mais feio porque se veste como crente, mas Deus vê beleza quando você glorifica o nome dele. O mundo pode achar ridículo que você não satisfaça os interesses do seu próprio corpo, mas Deus vê algo maravilhoso em um corpo que sacrifica os prazeres por ele. A tortura, o martírio, a perseguição física são amedrontadores, mas Deus vê formosura no corpo surrado pelo nome de Jesus.

Terceiro, e por último, precisamos encontrar consolação no fato de que Jesus deu o seu corpo por nós em dois sentidos: ele sofreu fisicamente na cruz e também guardou o corpo em oferta a Deus. O corpo santo de Cristo, que nunca conheceu pecado, foi sacrificado por nossa santidade. É possível que você já tenha afetado bastante o seu corpo e ele esteja maculado por causa do pecado. Mas há um Cristo que nunca se entregou ao erro, que nunca pecou. Ele entregou o próprio corpo em sacrifício na cruz a fim de que crêssemos nele pela fé e, consequentemente, para que toda desgraça que já fizemos com o nosso corpo passasse para o corpo dele. Todas as vezes que usamos o corpo para nossas satisfações se tornaram pecado de Jesus na cruz a fim de que, quando cremos nele pela fé, Deus olhe para o nosso corpo e veja beleza, pureza e santidade. O seu corpo pode ter sido marcado pelo pecado, mas, se você tem Cristo, o seu corpo é limpo por ele diante de Deus. Se somos limpos por ele, então vivamos no caminho da pureza e nos esforcemos para entregar nosso corpo ao Deus vivo de modo que ele seja um grande altar de glória ao nome do Senhor.

6

Abandonando a família por Jesus: Os desafios de uma nova casa de fé

Você ama a sua família? Embora a resposta possa ser negativa, o mais comum é que as pessoas sejam apegadas ao núcleo familiar. Todos nós nascemos de uma família. Invariavelmente, duas pessoas tiveram de coabitar para que viéssemos à existência. Via de regra, isso ocorre dentro de um casamento, quando os cônjuges se unem para criar uma nova vida. Nascemos numa família, somos criados dentro de uma família e crescemos em família. Casais que, por algum motivo, não conseguem ter filhos e desejam adotar uma criança precisam de uma família que seja biologicamente apta para gerar uma vida.

Novas configurações de famílias com duplas homossexuais também precisam de casais heterossexuais e fecundos, caso queiram adotar. Todos nós, portanto, naturalmente nos identificamos com um pequeno núcleo de proteção chamado família. A historiografia antiga informa que os seres humanos começaram a se dividir em famílias e criaram, assim, os clãs. Os clãs se tornaram feudos, que, por sua vez, se tornaram cidades e, depois, cidades-estado até chegarmos ao contexto nacional atual. Os homens procuram, na família, um ambiente formador de unidade, e ela é uma força ontológica por si só. Costuma-se dizer, em círculos economicamente liberais, que a menor minoria é o indivíduo, mas a família é uma estrutura tal que não consegue ser reduzida ao indivíduo, porque, se tentarmos reduzi-la para além de suas funções, a perderemos. Se tiramos a mãe de seu papel de mãe, o filho de seu papel de filho e o pai de seu papel de pai, desviamos a estrutura familiar de sua simplicidade irredutível, na qual temos um homem e uma mulher potencialmente fecundos que buscam criar uma prole.

Somos ensinados a amar a família, muita embora, por vezes, não a amemos e desprezemos o ensino de nossos pais. Vivemos numa época em que seres humanos sem afeição natural entregam os filhos à morte ainda no ventre e lutam pelo direito de matar seus bebês ainda não nascidos, quando o normal é que a família seja um de nossos principais núcleos formadores. No Evangelho de Mateus, Jesus fala da família, mas trata do assunto de maneira um tanto contraintuitiva:

> Um irmão entregará à morte outro irmão, e o pai entregará o filho. Haverá filhos que se levantarão contra os seus pais e os matarão. Todos odiarão vocês por causa do meu nome; aquele, porém, que ficar firme até o fim, esse será salvo. [...]
>
> Não pensem que eu vim trazer paz à terra; não vim trazer paz, mas espada. Pois vim causar divisão entre o homem e o seu pai; entre a filha e a sua mãe e entre a nora e a sua sogra. Assim, os inimigos de uma pessoa serão os da sua própria casa.
>
> Quem ama o seu pai ou a sua mãe mais do que a mim não é digno de mim; quem ama o seu filho ou a sua filha mais do que a mim não é digno de mim; e quem não toma a sua cruz e vem após mim não é digno de mim. Quem acha a sua vida a perderá; e quem perde a vida por minha causa, esse a achará.
>
> Mateus 10.21-22,34-39

Essa é uma forma dura de falar sobre família. Jesus está dizendo que devemos amá-lo mais do que a nossos parentes, que devemos tê-lo como muito mais valioso do que qualquer aliança de sangue. Não é à toa que, quando a família de Jesus chega para encontrá-lo na Galileia enquanto ele está rodeado pela multidão, inacessível à própria família, alguém diz: "A sua mãe e os seus irmãos estão lá fora e querem vê-lo" (Lc 8.20), e ele responde: "Minha mãe e meus irmãos são aqueles que ouvem a palavra de Deus e a praticam" (8.21).

Para Jesus, existe uma aliança muito maior que as unidades de sangue, que é o laço daqueles que estão juntos seguindo o caminho do Cordeiro. Existe uma irmandade estabelecida em termos de igreja que, para Jesus, é superior à irmandade familiar. Não somos só como uma família. Somos mais do que isso. A unidade que encontramos como igreja, como membros do corpo de Cristo, é superior à ligação que deve existir entre pais e filhos e entre irmãos. Somos irmãos no sangue de Cristo, o que é muito maior do que a ligação biológica que existe entre duas pessoas que nasceram da mesma mãe. Nascemos do Espírito, nascemos do sangue de Jesus, e isso nos une em um novo corpo familiar superior à própria família natural, ainda que esta deva continuar a ser amada e honrada.

Muitas vezes, as pessoas imaginam Jesus como alguém que veio para pacificar. Ele próprio afirma, porém, que não veio para trazer paz, mas para trazer espada. Assim, uma das consequências da vinda de Jesus é um ambiente menos pacífico. Jesus está dizendo que as famílias teriam mais paz se ele não existisse, que as famílias viveriam melhor se ele nunca tivesse nascido. Mas o que significa "trazer espada"? Significa que, agora, espadas seriam desembainhadas dentro dos núcleos familiares: "Um irmão entregará à morte outro irmão, e o pai entregará o filho.

Haverá filhos que se levantarão contra os seus pais e os matarão. Todos odiarão vocês por causa do meu nome". "Por causa do meu nome" quer dizer que, diretamente por causa de Jesus, pessoas matarão os próprios irmãos. O livro *Arquipélago Gulag*, de Alexander Soljenítsin, relata um contexto no qual era comum o Estado incentivar que as pessoas denunciassem parentes por crimes contra o regime soviético. Outro livro que trata do assunto é o clássico de George Orwell *1984*, que mostra a naturalidade com que filhos denunciavam os pais ao Grande Irmão porque estes não queriam ser cúmplices de atos contra o governo.

No período de ateísmo estatal na União Soviética ou na China comunista, alguns familiares, amigos e vizinhos poderiam ser os piores inimigos de alguém, porque estavam próximos, vendo tudo o que acontecia. Certa vez, conversei com um pastor romeno que teve o muro de casa derrubado quatro vezes por tratores do governo devido a reuniões clandestinas de igrejas em seu lar. Quem o denunciava ao governo eram os vizinhos, por medo de também serem punidos pela desobediência à fé civil estabelecida. A fé trará inimigos dentro de nossa própria casa. Ir a Cristo pode tornar o seu lar menos pacífico. Um irmão entregar o outro à morte não é simplesmente estar desconfortável com a fé do outro, mas é evocar o que aconteceu com Caim e Abel, conforme descrito em Gênesis 4.1-8. Abel entrega sacrifícios a Deus que são aceitáveis, enquanto Caim, com o coração cheio de malícia, não louva a Deus de forma correta. Caim tem inveja de Abel e mata o irmão por causa da fé. Abel tinha um irmão, mas Caim tinha o pecado, e isso fez que um irmão se levantasse contra o outro e cometesse assassinato. Porque o irmão era aceito por Deus, Caim preferia a morte dele.

Em um país com liberdade religiosa, seu irmão descrente dificilmente entregará você à morte, mas é possível que você sofra oposição dentro da própria casa por parentes que, outrora, eram cúmplices de pecados, mas que, ao verem você no caminho da fé, atrapalham em vez de apoiar. O texto bíblico declara que um pai entregará o filho à morte e os filhos se rebelarão contra os pais e os matarão por causa do nome de Jesus. Lembro-me da história de Absalão, que, intentando contra o trono de Davi, volta-se contra a vida do próprio pai e acaba morto por Deus, porque o rei era um homem segundo o coração de Deus (2Sm 15—18). Nem sempre o evangelho trará paz, embora às vezes possamos ouvir testemunhos verdadeiros nesse sentido. A mensagem de Cristo, de fato, pode trazer uma paz interna que o mundo não é capaz de oferecer, mas não existe promessa de paz externa. Tudo pode, na verdade, piorar. Estamos nos sujeitando a uma existência mais difícil no caminho da fé, especialmente quando a paz é um dos grandes ídolos de nosso tempo. As pessoas não querem ser incomodadas, elas só querem ser deixadas em paz. Tenho amigos descrentes que consideram uma das maiores ofensas alguém dizer que eles estão errados. A verdadeira amizade é aceitar o outro sem questionar, diz o mundo. Entretanto, quando encontramos Cristo, não somos inquestionavelmente aceitos. Podemos nos tornar objeto de zombaria e, em nossa própria casa, encontrar ira, dificuldade e morte.

Vale a pena perder a paz dentro da estrutura familiar por causa do evangelho? Vale a pena perder o afeto dos pais por causa disso? No GAP, missão evangelística em escolas e faculdades do Nordeste, é muito comum encontrarmos um ou dois adolescentes que creem em Cristo, mas que não podem contar para os pais, pois são ameaçados de expulsão de casa. Esses adolescentes não têm coragem para desafiar os pais. O único ambiente de fé que eles encontram são as reuniões feitas na escola, pois não podem ir à igreja. Alguns desses jovens receiam tanto enfrentar os pais que acabam aceitando morar na rua para seguir Jesus. Como adultos, nós deveríamos ter a força moral de olhar para a família com bravura e encarar a oposição. Em outro contexto, quando os filhos abandonam a fé muçulmana, muitos pais os entregam ao Estado Islâmico. Abandonar o islamismo é cometer o pecado da apostasia, o que é passível de morte em certas comunidades. Há quem enfrente os pais e encontre a morte por causa do nome de Cristo, e essa não é simplesmente uma morte metafórica: trata-se de ter a cabeça arrancada a golpes de machado simplesmente por ter sido contra a fé da família.

Embora Jesus tenha profetizado que seríamos objeto de ódio por causa de seu nome, esse ódio não é aquele que provocamos nas pessoas quando somos inconvenientes. Muitos dizem sofrer perseguição no trabalho, mas a verdade é que essas pessoas são desagradáveis e só sabem criticar os outros. Alguns reclamam que não são entendidos ou aceitos pelos pais, porém esses mesmos filhos são chatos, turrões e briguentos. Por vezes, somos perseguidos porque merecemos, mas, mesmo quando nos portamos de forma socialmente aceitável, a manifestação de nossa fé é ofensiva para algumas pessoas. Em determinados momentos, seremos perseguidos, em vários ambientes distintos, por causa do nome de Jesus. Possivelmente, um desses lugares será aquele que deveria ser nosso porto seguro, pois esperamos encontrar em casa o descanso das dores da vida. Mas, para muitos, a própria casa é o lugar de batalha mais intensa.

Pode ser que sua família dificulte a sua vida de santidade, oferecendo-lhe constantemente o pecado, mas aquele que perseverar até o fim será salvo. A salvação é oferecida àqueles que perseveram e permanecem até o fim. Esse "até o fim" possivelmente não significa até o fim dos tempos, mas até a morte. Jesus está falando de familiares que matam, portanto aqueles que suportarem com firmeza até a hora de sua morte encontrarão salvação. A salvação não é oferecida, simplesmente, a alguém que resolve ir embora de casa, mas a quem resiste. Por que as pessoas pensam que, se elas casarem ou forem morar sozinhas e pagarem as próprias contas, a perseguição familiar terminará? Ela não termina. As reuniões de família ainda existirão, as conversas com os parentes permanecerão e, além disso, a família continuará a exercer uma poderosa influência sobre a vida e a fé das pessoas, mesmo quando elas já não estão morando na mesma casa. Não adianta, portanto, fugir achando que isso lhe dará forças para resistir à perseguição. Sair de casa não é a chave para vencer a covardia e reunir forças para suportar a perseguição dos pais. Esse tipo de pensamento se assemelha a acreditar que o casamento soluciona a fornicação, o vício em pornografia ou a masturbação.

De certa forma, é mais fácil viver sem precisar dar satisfações a ninguém, mas o diabo ainda leva pessoas sem Deus a se oporem à sua vida de fé. Em vez de fugir, é necessário enfrentar. Isso não significa enfrentar os pais, mas enfrentar a descrença, a perseguição, a dor da alma e a necessidade de aprovação humana. Pessoas que depositaram a paz, a felicidade e a autoimagem na opinião da família passam a se enxergar pelos olhos dos parentes e a acreditar no que eles dizem. Acabam enfraquecidas, porque não têm força para perseverar. Jesus realmente veio para que algumas pessoas sejam hostis. Parte do ministério dele foi nos fazer odiáveis aos mais próximos. Ele veio para nos tornar pessoas tão diferentes que o mundo sem Deus pode nos detestar, ainda que aparentemente sem razão.

Esta é exatamente a afirmação feita por Jesus: "Odiaram-me sem causa" (Jo 15.25). Muitos são odiados sem motivo. A fé já basta para que sejamos tratados como inferiores. Mais uma vez, não devemos nos espantar, pois Jesus veio exatamente para isso.

O estranho é que seja diferente disso. Chocante é que a mãe descrente beije a bochecha do filho cristão, o irmão ímpio sente-se com o irmão crente à mesa, o cônjuge que não crê em Deus continue casado com um cristão. O normal é ser odiado pelo mundo. Pela graça de Deus, nosso cenário cultural faz que a estranheza permaneça presente em nossa vida, com pais descrentes que nos amam e irmãos ímpios que são nossos amigos. Um convívio social relativamente tranquilo. Mas, quando a perseguição vier, quando o ódio chegar, não deveremos nos assombrar.

Pedro diz que não devemos nos surpreender com a perseguição, porque ela é o hábitat natural do crente. A perseguição está para o crente assim como a água está para o peixe. É exatamente pela união em Cristo que a igreja é um núcleo tão poderoso de amizade e serviço. As inimizades e hostilidades que nos separam não deveriam existir, pois a unidade que há na fé deveria nos unir mais do que qualquer outra afinidade. Nosso elo é superior à posição política, ao time de futebol, às preferências de entretenimento, à raça, ao sexo — nada disso é tão forte que possa separar aqueles que são unidos pelo sangue de Jesus.

Em Mateus 10.36, lemos que "os inimigos de uma pessoa serão os da sua própria casa". O verso seguinte, então, afirma que "quem ama o pai ou a mãe mais do que a mim não é digno de mim; e quem ama o filho ou a filha mais do que a mim não é digno de mim". Jesus declara que, se amarmos o pai que nos sustentou e a mãe que nos alimentou mais do que amamos a Jesus, não seremos dignos dele. Você ama Jesus mais do que ama seus pais? Ama Jesus mais do que ama seu cônjuge? Ama Jesus mais do que ama seus filhos? Estaria disposto a sacrificar o relacionamento com seus parentes por Jesus? Não por causa da igreja e da doutrina, mas por causa da fé em Cristo. Reflita sobre o que você escolheria caso a fé em Cristo entrasse em oposição com o bom relacionamento com seus familiares. Será que você racionalizaria o pecado e diria algo como: "Jesus não quer que eu fique brigado com minha mãe" ou "Jesus quer que eu obedeça e honre meus pais"? Pense, por um instante, se você acha melhor obedecer a homens do que obedecer a Deus. Você prefere fugir da vida de igreja para que sua família continue aceitando sua presença?

Na sequência, em Mateus 10.38, lemos: "e quem não toma a sua cruz e vem após mim não é digno de mim". O caminho de Cristo é o caminho da cruz, o que significa muitas vezes ser odiado pelo mundo. É interessante que Mateus cite aqui Miqueias 7.2, do Antigo Testamento: "Desapareceram da terra os piedosos, e não há entre todos um só que seja reto. Todos ficam à espreita para derramar sangue; cada um caça o seu irmão com rede". O texto de Miqueias 7.5 diz: "Não acredite em seu amigo, nem confie no seu companheiro. Não compartilhe os seus segredos nem mesmo com a sua mulher". A resposta que Miqueias dá ao problema levantado por Mateus é a confiança. Confiamos em Deus mesmo quando estamos numa intempérie familiar? Confiamos em Deus mesmo que isso custe o ódio dos amigos? Confiamos em Deus mesmo sob o risco de perder tudo? É possível que estejamos sozinhos e abandonados no mundo por todos aqueles em quem depositamos confiança. Em meio a essa situação, ainda creremos que Deus nos ouve e enxerga nossa dor e que dele vem a salvação?

Quando perdemos nossos padrões de liderança e amor, é comum projetarmos isso para o relacionamento com o Senhor. Por exemplo, se temos pais que nos maltratam, pensar em Deus como um pai não é algo assim tão positivo. Olhamos para Deus e sentimos medo em vez de consolo, porque projetamos nele as desgraças da vida presente. A Palavra nos mostra que o profeta Miqueias tem confiança em um Deus que o ouve e o salva. Ele diz que não deveríamos confiar no amigo nem contar segredos que possam nos prejudicar a quem nos abraça. Ele tem uma visão muito triste do momento pelo qual Israel passava. Os escritos de Miqueias me trazem à memória o famoso poema "Versos íntimos", de Augusto dos Anjos — em minha opinião, um dos poemas mais tristes da literatura brasileira:

> Toma um fósforo. Acende teu cigarro!
> O beijo, amigo, é a véspera do escarro,
> A mão que afaga é a mesma que apedreja.
> Se a alguém causa ainda pena a tua chaga,
> Apedreja essa mão vil que te afaga,
> Escarra nessa boca que te beija!

Entretanto, essa desconfiança não deveria ter lugar na igreja, porque esperamos que ela seja um círculo de crescimento e segurança, no qual encontramos uma família capaz de substituir a que nos despreza e maltrata. O relato de Lucas 12.49-53 (texto paralelo ao de Mateus citado anteriormente) acrescenta:

> Eu vim para lançar fogo sobre a terra, e bem que eu gostaria que já estivesse aceso. Mas existe um batismo pelo qual tenho de passar, e como me angustio até que o mesmo se cumpra! Vocês pensam que vim para dar paz à terra? Eu afirmo a vocês que não; pelo contrário, vim para trazer divisão. Porque, daqui em diante, estarão cinco divididos numa casa: três contra dois e dois contra três. Estarão divididos: pai contra filho, filho contra pai; mãe contra filha, filha contra mãe; sogra contra nora e nora contra sogra.

Jesus fala sobre as divisões mencionadas previamente quando relata sobre o fogo que ele veio trazer ao mundo. Ele afirma que há um batismo com o qual ele será batizado. Jesus participou do batismo do ódio, da ira e da morte. Esse batismo era a morte na cruz, o martírio da ira de Deus que cairia sobre ele. Jesus se põe junto a nós no batismo de sangue que, muitas vezes, é cobrado daqueles que encontram o caminho de Deus. Ainda que sejamos odiados pelo mundo, não precisamos nos preocupar, porque ele também foi. Ainda que sejamos rejeitados e, literalmente, mortos, devemos lembrar que ele também foi. O registro de que os irmãos de Jesus creram nele só aparece no livro de Atos, ou seja, provavelmente eles descreram do ministério do Messias até que ele morresse e ressuscitasse. Jesus era o próprio Deus encarnado, e seus irmãos não creram nele. Maria guardava as promessas no coração, mas ao que parece não era uma das seguidoras do Mestre. José também não recebe maiores menções. Não sabemos se ele creu ou não, nem quando morreu. Mas, se José estava vivo durante o ministério de Jesus, possivelmente não o seguia de perto. Jesus não foi seguido automaticamente pela sua casa. Ele foi morto e entregue à cruz pelos cidadãos da própria cidade. Aqueles que, em um momento, o receberam como rei proclamando "Hosana! Bendito o que vem em nome do Senhor!" foram os mesmos que, pouco depois, gritaram pedindo sua crucificação. Preferiram libertar um ladrão e assassino a libertar Jesus da morte.

Nosso Mestre foi rejeitado, odiado, perseguido e zombado pelos seus. Ele bebeu desse cálice até a última gota. Isso significa que não temos um Cristo alheio à dor causada pela rejeição daqueles que deveriam nos amar. Se nossa família não for um porto seguro, podemos lembrar que também não foi assim para Jesus e consolar-nos no fato de que adoramos um Deus rejeitado pela própria casa. Um Deus que escolheu vir a este mundo e, em vez de ser amado pelo mundo, foi morto por ele. "Se chamaram o dono da casa de Belzebu, quanto mais os membros da sua casa" (Mt 10.25). Se Jesus não teve a confiança dos parentes, como podemos achar que seremos amados e queridos automaticamente por todos à nossa volta?

Encontrar Cristo pode nos custar a família. Será esse um preço que estamos dispostos a pagar? Aquele que rejeita Cristo para permanecer bem visto pelos demais não está levando a própria cruz, portanto não é digno dele. Todavia, aqueles que encontram em Jesus um irmão que se entrega por nós e que nos aceita descobrem um caminho de salvação e santificação. Confiamos que a visão que ele tem de nós é a que importa? Entendemos que obedecer a ele é mais importante que obedecer a nossos pais? Se nos apegamos aos relacionamentos desta vida quando eles nos custam nosso relacionamento com Deus, haverá um tempo em que Deus nos dará aquilo que escolhemos. Iremos, junto com nossos familiares, para longe de Deus. No entanto, se nos aproximamos do Senhor, temos a esperança de que, firmes em Cristo, podemos trazer aqueles que nos rejeitam para perto do caminho de Deus. Que possamos crer e confiar, porque ele é nossa salvação e nossa verdadeira esperança. Busquemos, na igreja, uma família muito mais firme, muito mais forte e muito mais cristã do que qualquer outro relacionamento que possamos ter neste mundo.

É natural que, em algum momento, acabemos pondo de lado a família biológica e escolhendo novas famílias que materializamos à nossa volta. Quando eu era adolescente, costumavam dizer, na escola, que os amigos são a família que a gente escolhe. Os colegas tinham o costume de dizer que um era o pai, um era o irmão, o outro era o primo, e assim por diante. Era uma brincadeira boba, mas adolescente tem direito de ser bobo — e eu adorava isso, porque era a família que eu havia escolhido para mim. Eu não tive o direito de decidir quem era meu pai, minha mãe e minha irmã, mas, na escola, eu tinha uma família escolhida.

A igreja é a família que Deus escolheu para você. Sem dúvidas, isso é muito melhor que laços de sangue ou simples amigos. Deus escolheu aqueles que são nascidos da fé e nos deu a família que ele definiu para nós. Então, se a nossa família natural não providencia escape e segurança para as batalhas da vida, encontremos isso na família da igreja. Se a nossa família natural se opõe à nossa fé, temos irmãos que nos aceitam e nos recebem justamente por causa da fé. Minha oração é que o amor que nós temos por aqueles de nossa casa os traga para o caminho de amor a Deus.

═ 7 ═

Deixe seu passado, seu presente e seu futuro: As desculpas que inventamos

Quais são as desculpas que apresentamos para não seguir Jesus? O que é tão importante para nós a ponto de fazermos Deus esperar? Quando convidamos descrentes para a fé em Jesus, alguns têm sempre uma boa desculpa para negá-la. Eles precisam parar de beber ou de fumar antes de ir para a igreja. Querem ajustar o casamento antes de começar a frequentar os cultos. Outros estão esperando ter mais tempo para dedicar às práticas religiosas. Não raro, nós mesmos, cristãos, usamos desculpas para adiar o engajamento com o reino de Deus, ainda que haja em nosso coração o desejo de entregar-nos mais à vida de igreja, à proclamação do evangelho, à santidade e ao serviço.

Que desculpas usamos para adiar isso? "Não é o momento certo", "Ainda não tenho recursos suficientes", "Preciso me capacitar mais" — alguma delas soa familiar?

Em Lucas 9.57-62, Jesus encontra três homens e os convida para tomarem parte do reino de Deus, mas eles apresentam motivos que dificultam a entrada imediata nesse reino. Eis o relato bíblico:

Enquanto seguiam pelo caminho, alguém disse a Jesus:

— Vou segui-lo para onde quer que o senhor for.

Mas Jesus lhe respondeu:

— As raposas têm as suas tocas e as aves do céu têm os seus ninhos, mas o Filho do Homem não tem onde reclinar a cabeça.

A outro Jesus disse:

— Siga-me!

Mas ele respondeu:

— Senhor, deixe-me ir primeiro sepultar o meu pai.

Mas Jesus insistiu:

— Deixe que os mortos sepultem os seus mortos. Você, porém, vá e anuncie o Reino de Deus.

Outro lhe disse:

— Senhor, quero segui-lo, mas permita que antes disso eu me despeça das pessoas da minha casa.

Mas Jesus lhe respondeu:

— Ninguém que põe a mão no arado e olha para trás é apto para o Reino de Deus.

O primeiro homem parece muito dedicado e aberto a servir a Cristo: "Vou segui-lo para onde quer que o senhor for". Apesar de o texto não expor o convite de Jesus, pressupomos que isso ocorreu, pois o homem só saberia ser possível seguir Jesus se ele percebesse que havia outros seguidores ou se fosse convidado para isso.

Quer tenha sido convidado, quer tenha apenas percebido a possibilidade, o homem se oferece para esse serviço. Ele está disposto a seguir Jesus por qualquer caminho, e isso é profundamente literal. Hoje, quando falamos de seguir Jesus, estamos usando uma linguagem metafórica retirada dos Evangelhos para nos referir ao esforço de seguir as doutrinas de Jesus, de obedecer à pessoa de Jesus naquilo que ele ordenou. Contudo, naquele contexto, seguir Jesus era um ato literal, o de acompanhar o Mestre por onde quer que ele fosse. O homem olha para aquele líder religioso que se dizia o Deus vivo, que realizava milagres, que pregava o reino de Deus, e decide: Eu quero estar com ele. Não se tratava de mera disposição do coração, mas de largar família e trabalho e acompanhar alguém numa jornada desconhecida. Ao se oferecer para a trajetória, a impressão que temos é que esse homem não sabia muito bem o que estava fazendo. Ele diz: "Vou segui-lo para onde quer que o senhor for", e Jesus responde: "As raposas têm as suas tocas e as aves do céu têm os seus ninhos, mas o Filho do Homem não tem onde reclinar a cabeça". Aquele homem não tinha como acompanhar Jesus e viver num ambiente de segurança ao mesmo tempo. Ele não receberia um lar confortável como pagamento. Aparentemente, pelo teor de correção da resposta de Jesus, era provável que o homem acreditasse que poderia seguir o Mestre e voltar para dormir em casa à noite. Provavelmente, como bom judeu, acreditava que seria rico no Senhor e que, sendo um crente abençoado, arrependido e bem guiado por Deus, receberia uma nova morada para viver junto daquele Deus-homem e seus discípulos. Ele cria que seguir Jesus não lhe custaria um lugar de repouso para chamar de seu. Aquilo que esse homem disse não era o que ele estava disposto a fazer. O que ele tinha nos lábios não era o que havia em seu coração.

Ele prometeu seguir Jesus por toda parte, mas Jesus explicou que segui-lo significava nunca mais voltar para casa. Significava renunciar ao porto seguro, ao repouso nos momentos difíceis. Não existiria mais voltar para casa, deitar-se na própria cama e usar o próprio banheiro. Seguir Jesus significava acompanhar um homem que, quando morto, só teria uma cova porque um parente rico emprestou uma. Jesus não teria um lugar sequer na própria morte. O dono do universo vivia como nômade, dormindo onde lhe ofereciam lugar.

Jesus provavelmente tinha uma casa em Nazaré, na região da Galileia, mas tão intensa era sua rotina de pregação que ele simplesmente não tinha como voltar para casa a fim de repousar. Seguir Jesus significava, de fato, tornar-se um retirante. Para nós que seguimos Jesus não de forma literal, mas como servos dele e de seus ensinos, ser um seguidor significa abrir mão da zona de segurança, do senso de pertencimento a um lugar. Muitos de nós são pessoas presas à família, ao conforto, ao trabalho, aos amigos. Mas ser discípulo de Jesus é perder raízes, mesmo aquelas que nos ligam a algo bom. Seguir Jesus é perder a comodidade. Não existe mais casa porque não somos mais deste mundo. Não existe um lugar para onde voltar caso algo dê errado depois de encontrar o Senhor. Não existe *test drive* da fé. Seguir Jesus por onde quer que ele vá representa a perda das amarras terrenas. Não é possível ser como o namorado cafajeste que mantém os "contatinhos" do WhatsApp para, caso o namoro dê errado, já dispor de um plano B. Ou como o cônjuge que está pronto para voltar para a casa dos pais por qualquer desentendimento. Não existe voltar para casa, não existe zona de conforto, pois perdemos as amarras quando encontramos Cristo. Encontrar Cristo é ter de nos desfazer, em nosso coração, daquilo que mais amamos e que mais nos traz segurança.

Na vida sem Deus, há muitos lugares onde repousar a cabeça. Quando estressados, descansamos no entretenimento; quando solitários, repousamos no sexo fácil; quando a mente está nublada, nos anestesiamos nas drogas e no álcool. Procuramos algo que nos devolva a tranquilidade, a segurança, o pertencimento. Mas, quando passamos a fazer parte do reino, o pertencimento é encontrado em Cristo. Jesus seria o novo lar daquele homem. Se ele dizia querer seguir Jesus por qualquer caminho, precisava estar aberto a ter apenas em Jesus o local onde repousar a cabeça. Precisava estar disposto a encontrar apenas em Jesus o seu ninho.

Acaso estamos dispostos a seguir Jesus por onde ele nos levar? Ou a nossa fé tem seus limites? Reflita se você segue Jesus apenas se isso não custar seu dinheiro, seus *hobbies*, seus relacionamentos. Não raro, seguimos o Senhor apenas até onde não ultrapasse os limites que impusemos. Traçamos fronteiras para a fé que nos impedem de avançar, pois temos medo de impactar outras áreas da vida. No domingo, estamos na igreja, professamos amar Jesus, oramos e louvamos, mas, quando chega a segunda-feira, vivemos com as nossas regras, no nosso tempo e pelo nosso conforto. O interesse de Jesus, no entanto, é que seguir a ele afete cada neurônio de nosso cérebro, cada batida de nosso coração, cada respiração de nossos pulmões. Seguir Jesus por onde quer que ele vá é permitir que ele afete a totalidade de nossa existência. É parar de estabelecer limites para a fé.

Quando me sinto sobrecarregado com as ocupações deste mundo, lembro-me de uma oração que, às vezes, tenho medo de fazer: "Deus, tira de mim o que for necessário e põe-me na circunstância ideal para que eu te ame acima de tudo". Essa prece faz minhas pernas tremerem, porque sei que algumas perdas seriam muito dolorosas, ainda que acontecessem para que eu amasse mais a Deus. Então, quando percebo que estou quase fazendo esse pedido, penso que devo ter cuidado com o que oro, pois Deus pode concedê-lo. Ainda assim, precisamos estar abertos para pedir que Deus tome nossa vida por completo, independentemente do preço que isso custar. Se Deus precisar levar os tesouros terrenos, a segurança, o conforto, os relacionamentos e os planos para que o amemos mais, então que ele tome tudo isso.

No relato de Lucas, um segundo homem escuta Jesus chamá-lo diretamente: "A outro Jesus disse: Siga-me! Mas ele respondeu:

Senhor, deixe-me ir primeiro sepultar o meu pai. Jesus insistiu: Deixe que os mortos sepultem os seus mortos. Você, porém, vá e anuncie o Reino de Deus". Se interpretarmos esse texto erroneamente, entenderemos que Jesus estava sendo cruel com o rapaz. Quem sabe o homem estivesse no velório do próprio pai quando Jesus o chamou e tivesse tão somente pedido que o Mestre aguardasse o sepultamento. Nesse caso, a resposta de Jesus teria revelado insensibilidade. Você concorda que isso parece pouco provável? Não parece uma ideia muito factível que, enquanto o pai está sendo sepultado, o filho não esteja lamentando com a família, mas tenha ido para outro lugar. O mais provável é que ele tenha dito que gostaria de seguir Jesus, mas somente depois que o pai morresse. Provavelmente, ele cuidava do pai idoso e, por não poder abandoná-lo, pediu que Cristo o deixasse sepultar o pai antes de partir. A ideia era que, somente depois disso, ele estaria livre para seguir Jesus.

Parece uma justificativa nobre. Como deixar um pai sozinho, sem alguém que cuide dele? A resposta de Jesus é dura: "Deixe que os mortos sepultem os seus mortos. Você, porém, vá e anuncie o Reino de Deus". Deixar os mortos sepultarem os mortos parece significar deixar os mortos espirituais sepultarem os mortos espirituais. O entendimento proposto por Jesus é que deixar de seguir a Cristo para esperar o pai falecer e só então, finalmente, ir embora significava uma prioridade errada. Existiam outros mortos que poderiam sepultar seus mortos. Jesus possivelmente está insinuando que era pouco provável que ele fosse o único filho capaz de cuidar do pai. Os outros filhos não estavam ali para ouvir o evangelho e não queriam seguir Jesus. Os mortos espiritualmente, outros homens que não abraçavam o chamado de Cristo, poderiam sepultar os mortos. Ele, porém, deveria ter um relacionamento diferente com a vida. Usar a responsabilidade como justificativa para não seguir a Cristo era se fazer tão morto quanto o pai. Mas ele assumiu para si um dever que outros poderiam ter assumido. Para cuidar do pai na velhice e esperar que ele morresse confortavelmente, ele estava disposto a morrer espiritualmente. Estava adiando o relacionamento com Deus para tratar dos compromissos desta vida.

Lembro-me da história de Marta e Maria, em Lucas 10.38-42. Enquanto Marta cuidava dos afazeres de casa, servindo a Jesus, cozinhando, varrendo o chão, Maria não fazia coisa alguma em casa para ajudar a irmã. Ela estava sentada aos pés de Jesus, ouvindo o sermão. Sentindo-se injustiçada, Marta pede que Jesus repreenda a irmã. Jesus responde afirmando que Maria havia escolhido a melhor parte. Ela preferiu deixar os pratos sujos e a casa empoeirada a abster-se de ouvir o Deus vivo falar. Quantas vezes nós também negligenciamos a vida com Deus usando boas justificativas acerca das atividades deste mundo? A pia limpa se torna mais importante que o devocional. Terminar as obrigações da faculdade se torna mais importante que cumprir as práticas espirituais.

Quantas vezes achamos que estudar para a prova de segunda-feira é mais valioso que nos dedicar à prova da vida por meio do ouvir a palavra na igreja? Quantas vezes os compromissos com este mundo se tornam mais importantes que as promessas da eternidade? O homem do texto bíblico precisava cumprir sua missão de filho, cuidando do pai na velhice, mas ele estava disposto a sacrificar Cristo para isso. Ele poderia deixar outra pessoa cuidar do pai, mas preferia cumprir uma função deste mundo a entregar a vida a Jesus. Escolheu continuar morto, cuidando de mortos, celebrando os mortos, em vez de escolher a vida — vida que jamais findaria. Ainda que morto, ele viveria, porque Cristo seria sua vida e, em Cristo, ele venceria o aguilhão da morte.

Ele preferiu viver à sombra de um túmulo a encontrar a verdadeira vida naquele que lhe oferecia a eternidade.

Quantas vezes negamos a eternidade para nos dedicarmos àquilo que rapidamente perecerá? Quantas vezes negligenciamos o que dura para sempre a fim de construir castelos de areia que, na próxima maré cheia, serão destruídos? Em muitas ocasiões, a vida de fé, o evangelismo que gera vidas para a eternidade, a leitura da Palavra que alimenta o relacionamento com Deus e o serviço na igreja que cria uma comunidade de santos são negligenciados. Abrimos mão disso para nos dedicarmos ao consumo, ao ganho de dinheiro, à construção da reputação, à conquista de graus acadêmicos, à busca por beleza. Quantos tesouros eternos sacrificamos para construir o que é passageiro? C. S. Lewis disse certa vez que aquilo que não é eterno é eternamente inútil. Tudo o que não contribui para a eternidade passará, terá fim e, no máximo, será uma lembrança no céu de glória. Contudo, sacrificamos aquilo que durará para sempre em prol de qualquer mesquinharia que nos atraia nesta vida. O homem mencionado nas Escrituras não está negando a fé, mas está adiando o compromisso mais profundo com a fé. Esse homem, ao que tudo indica, creu em Jesus. É exatamente o que nós fazemos, especialmente na juventude. Vivemos aguardando a formatura, o casamento, o aumento do salário e a agenda mais livre.

Na parábola do rico tolo, em Lucas 12.13-21, o personagem da história diz: "Já sei! Destruirei os meus celeiros, construirei outros maiores e aí armazenarei todo o meu produto e todos os meus bens. Então direi à minha alma: 'Você tem em depósito muitos bens para muitos anos; descanse, coma, beba e aproveite a vida'". Deus, porém, o exorta: "Louco! Esta noite lhe pedirão a sua alma; e o que você tem preparado, para quem será?". O amanhã pode não vir. Os acontecimentos que marcamos na agenda podem não acontecer. A vida é frágil e breve. Quando nos apegamos a esta vida, estamos desejando que os castelos de areia durem para sempre. Mas eles não duram. Eles desmoronam. Os músculos murcham, o rosto enruga, esta existência finda. Se achamos que tudo o que temos é esta vida, estamos perdendo a incrível vida eterna.

Não adie seu compromisso com Deus. Não seja como o primeiro homem, que foi rápido para dizer o que não estava disposto a fazer. Discipule pessoas, leia a Bíblia, evangelize, estude, encontre uma forma de engajamento na comunidade, crie relacionamentos, sirva em algum ministério. Esqueça suas desculpas. Deixe que os mortos sepultem seus mortos. Deixe que as pessoas engajadas com esta vida resolvam, construam, ganhem dinheiro, tornem-se doutores. Trabalhe naquilo que gerará resultado eterno, ainda que, muitas vezes, signifique não se engajar com as conquistas terrenas. Mantenha o foco na certeza de que a vida deve ser vivida com olhos na eternidade.

Não precisaremos adiar nosso compromisso se entendermos que temos uma vida que este mundo não vê. "Você, porém, vá e anuncie o Reino de Deus." O segundo homem, cujos olhos estavam presos nesta terra, precisava depositar sua vida numa visão do reino. Há um reino vindouro que não é desta terra e não é para esta vida. Ele não tem origem nas forças humanas, mas provém diretamente de Deus. É com esse reino que devemos nos preocupar. Enquanto tentamos construir nossos pequenos reinos — a casa perfeita, a família perfeita, o trabalho perfeito, a igreja perfeita —, nós temos um Deus que ordena que nos preocupemos com o reino que destrói as forças do diabo. Devemos dedicar nossos lábios à proclamação do reino vindouro que já toca o tempo presente e já transforma nossas perspectivas, tendo em mente que anunciamos verdades que incomodam os mortos deste mundo, em vez de nos preocuparmos com os frutos mortos do pecado. Estamos construindo um outro reino para um Rei que reinará eternamente.

Nossos reis nesta vida — o dinheiro, o prazer, a realização, a segurança, o sexo, a aceitação, a reputação — vão ser destronados e morrer em algum momento. Todavia o reino de Deus está acima de qualquer outro. O terceiro homem do relato de Lucas também diz: "Senhor, quero segui-lo...", e no entanto, a exemplo dos anteriores, oferece uma justificativa para adiar a jornada: "... mas permita que antes disso eu me despeça das pessoas da minha casa" (Lc 9.61). Esse terceiro homem quer seguir Jesus e também apresenta um empecilho. Mas a questão que ele intenta resolver não é tão complicada quanto as anteriores. Ele presenciou Jesus convidando pessoas para segui-lo. O homem pede que Jesus espere que ele se despeça da família. Ele não queria esperar que o pai morresse nem tinha grandes compromissos que o prendessem. Simplesmente queria dar adeus. Porém Jesus responde: "Ninguém que põe a mão no arado e olha para trás é apto para o Reino de Deus" (9.62).

Colocar a mão no arado, trabalhar na ceifa do Senhor, não daria ao homem o direito de olhar para trás. O arado era uma ferramenta colocada atrás de um animal e deveria estar firme para que fizesse os sulcos na terra da forma correta. O chão era bastante pedregoso, sendo necessária a estabilização do instrumento a fim de que fosse possível seguir um caminho reto. Qualquer sinal de desatenção faria o arado desviar para os lados, ou seja, os sulcos ficariam tortos, o arado poderia quebrar, a plantação seria prejudicada e, consequentemente, alguém passaria fome. Usar o arado e olhar para trás é semelhante a dirigir um carro sem olhar para a frente. Alguém que olha para trás enquanto está com a mão no arado não é apto para o trabalho. É uma pessoa perigosa, desatenta, que trabalha do modo errado. O terceiro homem faz um pedido simples, e Jesus não se opõe à despedida dele. Deus provavelmente está indo de encontro à motivação do coração de alguém que, diante do Deus vivo, precisava se despedir antes de ir embora. Aquele homem, quando estivesse com Jesus, com a mão no arado da fé, possivelmente sentiria falta de casa, dos familiares. Uma vez em Cristo, ele não poderia mais olhar para trás. Uma vez seguidor de Jesus, não poderia reconsiderar a decisão e voltar para casa. Possivelmente, ele era alguém que amava muito a família, mas é provável que amasse os parentes mais do que amava servir no reino de Deus. Ele corria o risco de negligenciar a própria fé por aquilo de que sentiria falta durante a caminhada da fé.

Muitas vezes, enfrentamos o mesmo problema. Encontramos Cristo, mas existem saudades que nos impelem a olhar para trás enquanto estamos com a mão no arado do reino. Se você é como eu, os momentos em que é mais negligente com a obra de Deus são aqueles em que mais sente falta das experiências do mundo que o diabo oferece. Todos nós, em algum momento, sentimos saudade do que abandonamos quando estamos vivendo para o reino. Sentimos falta de práticas lícitas que tínhamos antes de encontrar Jesus, mas que não fazem mais parte de nossa vida, e sentimos falta de práticas ilícitas que fizeram parte de nossa história e nas quais agora, com Jesus, não mais deveríamos nos envolver. Quando encontramos Jesus, existem hábitos que abandonamos cuja simples menção é capaz de nos enojar. Muitos crentes que eram alcoólatras sentem vontade de vomitar tão somente ao sentir o cheiro de bebida. Outros precisam lutar pelo resto da vida contra o desejo permanente por atos que eram praticados no passado. Nós, como cristãos, frequentemente relembramos o passado enquanto estamos com a mão no arado.

Somos tentados a olhar para trás e buscar reviver experiências pecaminosas e negativas que faziam parte de quem nós éramos.

Uma vez com a mão no arado, se olharmos para trás, não só prejudicaremos o reino como também a nós mesmos. Prejudicaremos o reino de Deus porque, se não manejarmos bem o arado, afetaremos outras pessoas que seriam beneficiadas com nosso serviço. Isso significa que, se olharmos para o passado, não sofreremos sozinhos, pois todas as bênçãos que Deus traria ao mundo por nosso intermédio também serão atingidas. É por esse motivo, aliás, que Paulo instruiu Timóteo sobre a importância de viver em santidade para salvar a si e os outros (1Tm 4.11-16).

Ainda que nem tenhamos consciência disso, Deus nos usa para o serviço da igreja e para o serviço do mundo. Quando nossa fé esmorece, pessoas à nossa volta sentem esse esmorecimento e, por vezes, participam dele. Por mais que não percebamos, somos agentes do reino e precisamos manter as mãos firmes para que outras pessoas comam os frutos que vão brotar das sementes que plantamos. Não precisamos olhar para o passado, porque adiante há um Cristo e um céu de glória muito mais valiosos que tudo que deixamos pelo reino. Não importa o que o evangelho nos custou, a colheita que é prometida é muito mais saborosa que qualquer lixo que ficou para trás. Esse reino foi apenas inaugurado e está crescendo até se tornar o próprio Deus reinando para sempre nesta terra.

O relato do Evangelho de Mateus torna-se ainda mais surpreendente quando notamos que ele sugere um sacrifício tanto do passado quanto do presente e do futuro. O primeiro homem estava preocupado com o lugar para repousar a cabeça no futuro. Estava preocupado com o que deixaria para trás e, ao mesmo tempo, com o que haveria adiante se ele seguisse a jornada. Esse homem precisava sacrificar a segurança passada, presente e também futura, porque precisava confiar que haveria algo melhor em Cristo Jesus. O segundo homem estava preocupado com o futuro do pai. Ao seguir Jesus, ele teria de abandonar a família, possivelmente para sempre. De igual modo, o terceiro homem não poderia mais olhar para a família que ficou para trás e desejar retornar da missão.

Encontrar Jesus afeta todo o nosso relacionamento com a nossa história. Muda a nossa relação com o que deixamos, com o que temos e com o que virá. Não é exagero algum dizer que seguir Cristo impacta toda a nossa vida. Mas podemos nutrir uma grande expectativa pela recompensa disponível para os seguidores do Mestre: um reino que cresce para o nosso benefício, para o nosso relacionamento com o Senhor, para o amadurecimento da nossa fé. Ser um discípulo custará tudo. Mas sempre valerá a pena deixar obras mortas para trás. Se estivermos sem repouso, sem ninho, sem a aprovação da família, nós teremos Cristo, e ele é suficiente. Temos um Cristo que a tudo preenche. Se amarmos esse Cristo, certamente conseguiremos abandonar tudo aquilo que nos faz adiar o engajamento mais profundo com seu reino.

PARTE III

As verdadeiras recompensas do discipulado

Acreditar em si mesmo é uma das marcas mais comuns de um patife. Seria muito mais verdadeiro dizer que um homem certamente fracassará por acreditar em si mesmo. Toda autoconfiança não é simplesmente um pecado; toda autoconfiança é uma fraqueza.

G. K. Chesterton, *Ortodoxia*

Um Deus sem ira trouxe homens sem pecado para um reino sem julgamento por intermédio das ministrações de um Cristo sem cruz.

Richard Niebuhr, *The Kingdom of God in America*

8

O prêmio do discipulado:
Em busca da linguagem apropriada

A palavra "custo" na expressão "custo do discipulado" vem da esfera comercial. Ela nos lembra que, em nossa caminhada com Cristo, há um sacrifício a ser feito, um preço a ser pago — um custo. Entretanto, nossa linguagem não pode nos trair. Não podemos ter uma visão somente negativa do chamado ao discipulado. É necessária uma visão ampla, na qual, por um lado, o custo não é eliminado, mas, por outro, o motivo do custo é entendido e gera alegria. Uma visão em que o aspecto positivo é reconhecido e valorizado.

Nos Evangelhos, há uma clara imagem da linguagem mais apropriada para tratar do discipulado. Tome, por exemplo, a parábola do tesouro escondido (Mt 13.44). O homem da história encontra um tesouro no campo e vende todos os seus bens para adquirir esse terreno. O texto destaca o sentimento dele nesse ato: é dito que ele agiu alegremente. Esse homem não tinha nenhum problema mental nem era um ingênuo quanto a finanças. O que ele fez foi, antes de tudo, reconhecer o valor do tesouro, pois, nesse caso, existia uma razão para a venda de tudo. Nessa linguagem comercial da parábola, portanto, o ganho recebe mais ênfase do que a perda de todo o resto.

A parábola do tesouro escondido nos ensina que a linguagem do discipulado não diz respeito apenas a perder, mas, acima de tudo, trata-se do que ganhamos. Além disso, a reação do homem demonstra que sua decisão de vender tudo por um tesouro não foi uma troca de valores proporcionais, mas uma transação de tudo por algo muito mais precioso. Jesus chama seus seguidores a calcular, porque essa é a economia da cruz, do discipulado, de seguir a Jesus. E, quando se calcula corretamente, o custo é aceito com alegria.

Na linguagem do cálculo, comparamos valores e procuramos pelo mais valioso. Porém a metáfora dos valores encontra seu limite quando aplicada ao discipulado, pois, no cálculo feito para ser um discípulo, o que temos é a oportunidade mais valiosa da existência, que faz qualquer outro bem parecer sem valor. São essas verdades que tanto a teologia da hipergraça quanto a teologia do *coaching* distorcem por não apresentarem uma visão apropriada do cálculo (perda-ganho) do discipulado. Por falharem nesse ponto, diminuem o valor do ganho. Ou seja, diminuem o valor de Cristo.

Neste capítulo, meu objetivo é olhar para o chamado ao discipulado, ponderar sobre onde reside de fato seu valor e por que um entendimento apropriado dessa verdade não somente nos levará ao lugar da alegria genuína, mas também nos conduzirá ao ponto central da vida como discípulo: a promessa de que a bênção do autoesquecimento por causa de Cristo é tudo de que precisamos. Para tal compreensão, caminharemos pela carta de Paulo aos filipenses, especificamente por uma visão panorâmica do capítulo 3.

POR QUE FILIPENSES 3?

Em Filipenses 3, Paulo aborda os efeitos da estrada de Damasco (At 9). Num relato autobiográfico, o apóstolo Paulo nos descreve de modo fascinante como seu mundo virou de cabeça para baixo por causa de um encontro com Cristo, de forma que aquilo que lhe dava razão e perspectiva de vida mudou completamente — na verdade, perdeu o valor que tinha.

Existem dois motivos para Filipenses 3 ser importante para nossa vida de discipulado. Primeiramente, como citado acima, a autobiografia de Paulo mostra que as razões pelas quais ele vivia antes de seu encontro com Cristo tinham um valor ilusório e, após esse encontro, elas não ganham mais afirmação, pelo contrário, são reduzidas a nada. Assim, o primeiro motivo tem a ver com os efeitos da luz. Ela não somente nos faz enxergar algo novo, mas também nos faz enxergar o verdadeiro valor daquilo que antes parecia especial.

Em segundo lugar, aprendemos com Paulo que tratar da vida de discipulado falando somente daquilo que abandonamos, sorrateiramente, faz do discipulado o que ele não é: algo relacionado a meu sucesso em abandonar, no qual tudo ainda diz respeito a mim. Como desenvolveremos adiante, discipulado não diz respeito a quem eu encontrei com minha esperteza e boas obras, mas diz respeito aos efeitos, na minha vida, de quem me encontrou por sua obra e sabedoria. Assim, para Paulo, perder não é martírio, mas o resultado lógico para quem foi achado por Deus — usando a linguagem da parábola do tesouro perdido: "ele foi e alegremente vendeu tudo".

Diante disso, entendemos que a linguagem de discipulado precisa ser equilibrada. Eu preciso ter a porção do que ganho para poder experimentar a alegria de perder. Preciso ver as cores brilhantes do amor de Cristo para poder ver todo o mundo em preto e branco. Existe algo no discipulado que me chama a perder, por me mostrar que existe algo a ganhar. Se olharmos para o vocabulário de Paulo, veremos que ele nos deixou o que eu chamo de "uma linguagem para o discipulado".

EXEMPLOS DE SERVIÇO

Antes de Paulo iniciar seu relato autobiográfico, acontece algo marcante no início do capítulo 3. Paulo parece mudar completamente o tom da carta, da alegria para a repreensão: "Quanto ao mais, meus irmãos, alegrem-se no Senhor. Escrever de novo as mesmas coisas não é um problema para mim e é segurança para vocês" (Fp 3.1), e então: "Cuidado com os cães! Cuidado com os maus obreiros! Cuidado com a falsa circuncisão!" (3.2).

Precisamos entender o que motiva essa mudança a fim de ter um entendimento apropriado e aprofundado do capítulo 3. Voltemos, por um instante, para o capítulo 2. Paulo apresenta à igreja a história de redenção por meio da obra de Cristo e chama os irmãos a terem a mesma atitude de Cristo: humildade e serviço sacrificial em prol da glória de Deus e do bem de seu povo.

A descrição da auto-humilhação de Cristo se torna, para Paulo, um paradigma para a vida em comunidade e para a forma de serviço de cada cristão. Nele, todos são chamados para uma vida marcada por sacrifício dos próprios interesses por amor à comunidade. Uma comunidade em que todos têm a mesma "atitude" de Cristo (Fp 2.5, NVI). A palavra φρονέω é traduzida, algumas vezes, como sentimento.[1] Embora essa seja uma opção de tradução, acredito que os referenciais emocionais se destacam em excesso quando se usa essa palavra. O que é φρονέω como "atitude" nesse contexto? A atitude consiste em pensar e agir baseado naquilo que está em seu coração. Tal ideia não é bem representada pela tradução "tenham o mesmo sentimento", uma vez que "sentimento" é restrito ao mundo interno e não implica necessariamente uma ação.

Quando o autor escreve "tenham a mesma atitude de Cristo", ele está ordenando: Tenham a mesma mentalidade, o mesmo coração de Cristo; tenham aquilo que fez com que Cristo agisse, atuasse, vivesse. E como Cristo viveu? A atitude de Jesus foi: ele estava no céu, com todo o direito de não renunciar a seu trono, mas ele deixou o céu e veio se encontrar com pecadores (Fp 2.6-11). Ele veio em atitude de humildade, servidão, humilhação. O ponto de Paulo é claro: Tenham o mesmo coração e a mesma ação de Jesus; não briguem entre si de forma egoísta para se sobreporem ou se destacarem como o centro da comunidade como se vocês tivessem esse direito, pois Jesus abriu mão de direitos maiores para poder servir aos outros.

Uma implicação dessas primeiras observações é que a comunhão de uma igreja está centrada no paradigma de humilhação e serviço da obra de Cristo. Uma comunidade cristã tem como centro de sua mensagem a obra de Jesus e, como padrão de sua prática, a forma de sacrifício dele, que, entre muitas características, é marcada por uma vida de renúncia em favor de uma grande obra — a glória do Pai, não a de nós mesmos.

Após apresentar a vida e obra de Cristo como o novo paradigma comunitário para o povo de Deus, o autor introduz três exemplos concretos de vidas que expressam a atitude de Cristo em seu serviço na obra do reino: o próprio Paulo, Timóteo e Epafrodito. Os três são marcados por uma vida sacrificial. Enquanto a vida de Paulo é descrita como oferta de libação (2.17), a vida de Timóteo é descrita pelo apóstolo em termos igualmente sacrificiais: "Não tenho ninguém que, como ele, tenha interesse sincero pelo bem-estar de vocês, pois todos buscam os seus próprios interesses e não os de Jesus Cristo" (2.20-21, NVI). No último exemplo (2.25-30), Paulo exorta os filipenses a honrarem homens que, como Epafrodito, se sacrificaram por amor à causa de Cristo. Tal postura de renúncia contrasta com o entendimento popular (porém tácito) de adoração como uma forma de autoafirmação do valor próprio.

No final do segundo capítulo e no início do terceiro, Paulo conecta todos os exemplos com o tema da alegria. Homens que seguem o exemplo de Cristo são motivo de alegria para a igreja. Não somente isso, suas trajetórias servem como referência de uma vida marcada por seguir o exemplo da humildade sacrificial de Cristo.

DA TRISTEZA DO LEGALISMO À ALEGRIA DO EVANGELHO

O tom da carta muda rapidamente do imperativo ("alegrem-se") para o alerta ("cuidado") em Filipenses 3.1-2. Paulo observa que existem alguns inimigos que podem minar a alegria resultante de uma vida formada pela abnegação e pelo autoesquecimento. Paulo está preocupado com a alegria daquela comunidade. É preciso, no entanto, fazer um alerta e esclarecimento: não podemos confundir alegria com bem-estar. O segundo nunca se oferece como um sacrifício e nunca tem uma causa fora de seu próprio reino autocentrado. Exatamente por essa natureza ensimesmada, nunca encontraremos alegria numa vida orientada pelo falso evangelho. Ele só consegue olhar para si e ir até onde sua zona de conforto permite. A alegria, em contrapartida, tem razões maiores do que ela mesma pelas quais viver.

Enquanto existiram homens como Paulo, Timóteo e Epafrodito, cujos ensinos e vida trazem alegria, outros, antagonistas a essa forma cristocêntrica de viver, podem afetar a nossa alegria no Senhor. Paulo os denomina "cães" que "praticam o mal" (3.2, NVI), os ladrões da alegria.

O primeiro termo aplicado aos inimigos da cruz ("cães") tem um tom irônico. O animal, considerado imundo pelos judeus, é usado como metáfora para descrever seus opositores. Esses homens estavam pregando uma pureza obtida pela confiança nas práticas do judaísmo, mas eles não eram puros de forma alguma. Pelo contrário, mesmo diante de tudo o que eles faziam, Paulo os considera imundos, impuros. Os judaizantes se tornam os novos gentios e os cristãos, os verdadeiros judeus — filhos de Abraão.

O que Paulo deseja esclarecer é que, se promessas de santidade não forem produzidas pelo verdadeiro evangelho, por mais belas que sejam, elas serão como animais imundos, lixo para a vida espiritual. Essas promessas eram promovidas pelos pregadores a quem Paulo se opõe, que faziam promessas de um estilo de vida mais santificado, mas, por não terem substância do verdadeiro evangelho, não passavam de danos espirituais.

O segundo termo, traduzido como "esses que praticam o mal" (NVI) ou "maus obreiros" (NAA), indica que esses homens prometiam justiça, mas estavam se afastando da real justiça de Deus, produzindo algo que era contrário a ela, algo que não era proveniente do Senhor. Se o resultado deles era contrário a Deus, então era mau. Daí vem a expressão "praticam o mal".

Se não estão fundamentadas nas verdades grandiosas do evangelho, toda mensagem faz mal e toda prática é má. Assim, alguns mensageiros de nossos dias, quer falem de amor quer falem de tópicos congêneres, seriam denominados praticantes do mal pelo apóstolo Paulo. O que fica claro na argumentação dele é o fato de não existir neutralidade diante da influência de pregadores. Para o bem ou para o mal, sempre seremos afetados, independentemente de boas ou más intenções.

No terceiro termo, chegamos ao ápice das descrições. Paulo estabelece um jogo de palavras: a falsa mutilação. A ironia reside no fato de que a circuncisão, que era o sinal do pertencimento de alguém à aliança, passa a ser um sinal de falsidade e prejuízo. Além do mais, essa observância da lei era uma forma de medir o nível de performance dentro da aliança. A implicação é que qualquer meio de avaliação de pertencimento à aliança com Deus baseado na confiança na carne, com a chegada do evangelho em Cristo, é automutilação — falsa espiritualidade.

O que todas essas descrições têm em comum? Elas enfatizam a confiança na carne, diminuindo o valor de Cristo, destacando o custo que glorifica a carne. É exatamente o cerne do que chamamos de legalismo, que traz a tristeza da falsa espiritualidade. É um custo no qual a carne é glorificada. Ele nos leva a práticas que trazem glória para nós mesmos. Nele, todo sacrifício feito é visto como martírio, não como um processo natural de santificação.

Os frutos decorrentes dessa "mentalidade de performance" são amargos. O espírito competitivo (comparação de pecados ou sacrifícios) e a crítica rápida direcionada aos outros ao invés de ao próprio coração são alguns dos produtos dessa árvore podre. É aqui que a alegria (tema forte em Filipenses) e sua relação com o legalismo combatido pelo apóstolo Paulo se encontram: legalismo e alegria não coexistem. A constante avaliação performática sufoca todo o desfrute de uma alegria que encontra razão fora de nós mesmos e dos nossos feitos. O legalismo é a explicação do que denomino "depressão espiritual". É ele que leva Paulo a perguntar aos irmãos da Galácia: "O que aconteceu com a felicidade que vocês tinham?" (Gl 4.15). Nossa maior luta como cristãos não se dá somente no confronto direto com determinados pecados, mas em eliminar aquele que usurpa nossa alegria por servir a Deus, isto é, a mentalidade de performance do legalismo.

Paulo segue com o argumento, explanando por que os opositores pregam uma falsa circuncisão: "Pois nós é que somos a circuncisão, nós que adoramos pelo Espírito de Deus, que nos gloriamos em Cristo Jesus e não temos confiança alguma na carne" (Fp 3.3, NVI). A resposta é simples: nós é que somos a verdadeira circuncisão. Logo, qualquer outra mensagem é falsa, pois, parafraseando Paulo, nós (judeus e gentios) somos a verdadeira identificação do povo de Deus, e não mais marcadores nacionais, como a circuncisão, usados de forma legalista pelos oponentes de Paulo. Em seguida, somos apresentados a três características e aos significados da verdadeira circuncisão: (1) "nós que adoramos pelo Espírito de Deus", (2) "que nos gloriamos em Cristo Jesus" e (3) "não temos confiança alguma na carne".

Diferentemente dos destruidores de alegria que confiam na própria performance, nosso modo de existência é no Espírito. Nossa devoção a Deus acontece no Espírito, não em meros regulamentos religiosos. Como Gordon Fee descreve poeticamente, "o 'serviço' que é realizado na vida do crente e na comunidade de crentes pela habitação do próprio Espírito de Deus, está a um milhão de milhas de distância do 'serviço' na forma de observância da Torá".[2] A implicação é que não fazemos serviços religiosos para ter um relacionamento com Deus, ao contrário, servimos de forma efetiva a Deus porque já temos comunhão com ele por meio do Espírito.

Em suma, o legalismo pode se apresentar (e encontrar justificativa e força) usando a linguagem do custo do discipulado. A deturpação está, entre outras situações, numa abordagem negativa na qual a vida cristã reside no martírio, no sacrifício de deixar algo, quer se trate de pessoas, vícios, eventos ou algo mais — um tipo de abandono automotivado digno de toda aprovação. Essa realidade contrasta profundamente com o que encontramos na vida do apóstolo Paulo, em que o que ele abandonou foi considerado "esterco" (3.8, NVI). Ora, não há sacrifício (e os aplausos decorrentes e esperados) quando o que é abandonado tem o mesmo valor que lixo.

CONSIDERANDO TUDO COMO PERDA

Observemos mais de perto como Paulo abandonou essa triste estrutura de vida chamada legalismo. Ele afirma: "... embora eu mesmo tivesse razões para ter tal confiança" (Fp 3.4, NVI). Observe o tom emocional. Ele diz que "não temos confiança alguma na carne" e relata que tinha razões superiores às de qualquer pessoa para confiar em si mesmo, e no entanto abandonou todas elas. É como se ele dissesse: Eu tinha motivos para agir assim, mas desisti deles, pois eles perderam o valor.

Temos uma linguagem para o discipulado expressa na vida de Paulo. Uma linguagem marcada por desistir de um modo de viver que não vale mais a pena. No final, é isto que o custo do discipulado é: descobrir que o seu coração insiste em abraçar certos amores que não deveriam ter valor se comparados à nova forma de existência oferecida pelo evangelho.

Paulo segue descrevendo os motivos que ele tinha para se orgulhar na carne. Ele lista sete deles: cinco tratam de sua identidade, dois de suas conquistas. Em todos os pontos, Paulo deseja mostrar aos filipenses que aquilo que lhes estava sendo pregado como valoroso, na verdade, era exatamente do que Paulo havia desistido: "fui circuncidado no oitavo dia, sou da linhagem de Israel, da tribo de Benjamim, hebreu de hebreus; quanto à lei, eu era fariseu; quanto ao zelo, perseguidor da igreja; quanto à justiça que há na lei, irrepreensível" (3.5-6).

O primeiro elemento, e talvez, um dos grandes pontos de toda a discussão de Paulo com seus opositores, é a circuncisão — o símbolo provavelmente imposto pelos judaizantes aos cristãos gentios de Filipos para serem identificados como povo de Deus. Paulo se dirige aos filipenses e afirma que ele não era apenas circuncidado, como também especifica e descreve como isso aconteceu logo em seu nascimento, "no oitavo dia". É como se Paulo dissesse aos filipenses: Muito antes de qualquer um de vocês ter ouvido falar sobre o evangelho, eu já havia recebido a circuncisão.

O segundo tópico é voltado à nacionalidade de Paulo. Ele pertence a Israel, algo que os opositores estavam indicando como o alvo dos cristãos gentios — fazer parte do povo de Israel e se identificar com seus distintivos nacionais. O terceiro estende a questão étnica para algo mais específico, a tribo de Benjamim. Os gentios poderiam fazer parte do povo de Israel por meio do proselitismo e da adesão aos fatores nacionais, entretanto eles nunca nasceriam de uma tribo, quanto mais de uma tribo com tantos privilégios, que, ao lado de Judá, era responsável pela lealdade à aliança davídica.

Por isso, na quarta descrição (um resumo dos termos anteriores), Paulo era em todos os aspectos um hebreu, nascido de pura raça hebraica. No quinto e sexto termos, Paulo especifica sua relação com a lei (ele era fariseu) e demonstra como ele superava seus opositores quanto à perseguição à igreja. O tom de ironia é inescapável. O último termo aponta para o foco do argumento: quanto às observâncias cúlticas da lei, Paulo era irrepreensível. No passado, Paulo vivia em justiça. Mas o ponto central é que ele havia abandonado a lei, pois não havia mais valor em tal forma de vida depois da experiência na estrada de Damasco, depois de ouvir a mensagem do evangelho.

Reflitamos um pouco sobre o último ponto. Se, para o judeu, toda a realidade era estruturada pela lei e as conquistas mais importantes se resumiam em chegar nos níveis listados pelo apóstolo, então Paulo está dizendo que atingiu o patamar mais alto do judaísmo e, quando chegou lá, desistiu de tudo. Aplique o mesmo raciocínio à nossa vida. O que é o mais valioso para as pessoas? É como se as palavras do apóstolo ainda ecoassem em nossa realidade: Eu alcancei o topo, o nível mais alto do

Oriente Médio, e, quando cheguei lá em cima, percebi que era tudo esterco.

> Mas o que para mim era lucro, isto considerei perda por causa de Cristo. Na verdade, considero tudo como perda, por causa da sublimidade do conhecimento de Cristo Jesus, meu Senhor. Por causa dele perdi todas as coisas e as considero como lixo, para ganhar a Cristo e ser achado nele, não tendo justiça própria, que procede de lei, mas aquela que é mediante a fé em Cristo, a justiça que procede de Deus, baseada na fé. O que eu quero é conhecer Cristo e o poder da sua ressurreição, tomar parte nos seus sofrimentos e me tornar como ele na sua morte, para, de algum modo, alcançar a ressurreição dentre os mortos.
>
> Filipenses 3.7-11

Nesse momento, ele refaz a conta e expande a esfera de valor. Paulo não fala somente do que é preciso para os judeus, mas de tudo que se apresente como valioso — "Na verdade, considero tudo como perda". Em seguida, algo de maior valor é citado e descrito de forma poderosa: "a suprema grandeza do conhecimento de Cristo Jesus, meu Senhor" (3.8, NVI). A linguagem de cálculo aparece novamente, mas, agora, Paulo eleva o valor do ganho descrevendo-o como *supremo*.

Diante disso, tal linguagem nos leva a pensar no lucro como relacionamento de intimidade ("conhecimento de Cristo") e devoção ("meu Senhor"). O lucro deu a Paulo um Senhor e tirou ele mesmo do controle de sua vida, ou seja, as coisas antigas que propiciavam confiança na carne são consideradas perda e o lucro faz justamente o oposto: liberta Paulo da ilusão de autossoberania, dá a ele um senhor e o faz servo.

Paulo passa a especificar mais seu argumento de perda e ganho, descrevendo a perda como esterco, lixo, algo que serve apenas para cães. O motivo de enxergar suas antigas conquistas dessa forma é que ele busca "ganhar a Cristo". Mais uma vez, o argumento do cálculo continua: ter Cristo como valioso é considerar todas as outras coisas como sem valor; somente Cristo é valioso, nada mais.

Neste momento, precisamos ter cautela. Ao descrever seu "perder todas as coisas" com o propósito de "ganhar a Cristo", estaria Paulo usando uma linguagem meritória? Quando ele diz "para ganhar a Cristo", ele está olhando para o futuro. Mas ele afirma que abriu mão porque já tem o supremo conhecimento de Jesus, então ele já tem Cristo. Ele está dizendo que já tem Cristo e quer ganhar Cristo. O autor está falando de algo que ele tem no presente e algo que ele vai conquistar no futuro. É uma linguagem que se encaixa numa ideia conhecida como "já e ainda não". Eu já tenho Jesus, e estou perseguindo o dia em que vou me encontrar face a face com ele. Essa é uma espécie de tensão na vida do discípulo que o mantém buscando um alvo, mesmo já possuindo o que um dia terá plenamente. Assim, "para ganhar a Cristo" significa o desejo de Paulo de ter plenamente aquilo que ele já possui em parte.

Nesse ambiente escatológico, Paulo esclarece que não possui mais a justiça que procede da lei. Sua justiça procede do próprio Deus por meio da confiança não mais em si e nas próprias conquistas, mas em Cristo, na vitória de Deus. Ora, se a circuncisão era uma forma de banalizar o relacionamento com Deus, porque fazia de trivialidades religiosas o foco desse relacionamento, Paulo reconhece que sua vida com Deus (justiça) repousa na fé em Cristo, não mais no desempenho que enfatiza a força da carne.

O que significa conhecer Cristo nesse contexto? Em Filipenses 3.10, Paulo nos revela duas respostas: conhecer Cristo é experimentar o poder da ressurreição e a participação dos seus sofrimentos. O que é conhecer o poder da ressurreição? Para Paulo, a ressurreição inaugurou um novo tempo. O futuro já havia começado a invadir o presente. O poder da ressurreição testemunha isto para nós: quando Jesus reviveu, ao terceiro dia, e a tumba ficou vazia, algo nos foi dado — um poder de transformação e renovação para um novo tempo. Paulo está dizendo que ele quer conhecer pessoalmente esse poder que transforma. Ele não almeja somente uma vida de intimidade frutífera, mas transformadora.

No entanto Paulo não deseja apenas conhecer Cristo para experimentar poder, mas também para participar dos seus sofrimentos. O que significa partilhar dos sofrimentos de Cristo? Esse vocabulário pode soar um pouco estranho, porque, em Colossenses, o apóstolo nos diz que deseja completar o que falta das aflições de Cristo (Cl 1.24). Você pode se perguntar: o que é preciso completar do sacrifício de Cristo e de que maneira vou fazer isso? Simplificadamente, podemos entender que participar ou completar os sofrimentos de Cristo não significa terminar o que Cristo fez, não se trata de receber algum castigo que faltou para ele. O ponto-chave é que o sofrimento de Cristo é redentivo, enquanto o meu é propagativo — eu propago os sofrimentos de Cristo. O que falta nos sofrimentos de Cristo não é redenção, é propagação. Os sofrimentos de Cristo ficaram em Jerusalém. Agora, eles precisam ser proclamados aos quatro cantos do mundo.

Além disso, Paulo expressa o anseio de também se tornar como Jesus em sua morte. Nessa expressão, temos mais que mero sofrimento; temos uma forma de morrer, o que nos lembra Filipenses 2, que descreve Cristo se humilhando e se esvaziando, sendo obediente até a morte de cruz. Paulo deseja se conformar a essa forma de morrer, que é cruciforme, pois esse é o caminho "para, de alguma forma, alcançar a ressurreição dentre os mortos" (3.11, NVI). O autor está de olho no que há de vir. Mas a base para isso é experienciar o poder presente oriundo da ressureição de Cristo enquanto damos passos com sofrimento e sob perseguição para nos aproximar da plenitude de quem um dia seremos. Estamos caminhando pela via dolorosa. Subimos ao Gólgota, pois é a partir de lá que alcançaremos o monte santo.

Assim, Paulo nos revela algo belíssimo: os cristãos vivem entre os portais da glória e as feridas da cruz. Eles vivem entre experimentar os poderes desvelados na ressureição e ascensão de Cristo e permanecer na sombra da cruz neste mundo. Nossa missão é a propagação da cruz, o testemunho do Cristo ressuscitado, não uma vida na qual os maiores anseios da alma são conquistas para sucesso pessoal.

O ALVO SUPREMO

A descrição final dos efeitos da estrada de Damasco fornece para nós, de forma mais explícita, uma outra imagem da vida de discipulado: a metáfora do atleta. Nela, Paulo cita o "prêmio da soberana vocação de Deus em Cristo Jesus".

> Não que eu já tenha recebido isso ou já tenha obtido a perfeição, mas prossigo para conquistar aquilo para o que também fui conquistado por Cristo Jesus. Irmãos, quanto a mim, não julgo havê-lo alcançado, mas uma coisa faço: esquecendo-me das coisas que ficam para trás e avançando para as que estão diante de mim, prossigo para o alvo, para o prêmio da soberana vocação de Deus em Cristo Jesus.
>
> Todos, pois, que somos maduros, tenhamos este modo de pensar; e, se em alguma coisa vocês pensam de modo diferente, também isto Deus revelará para vocês. Seja como for, andemos de acordo com o que já alcançamos.
>
> Filipenses 3.12-16

Essa metáfora é muito benéfica para a descrição da vida de discipulado, mas, antes de dar atenção a ela, precisamos entender a linguagem do próprio Paulo, que enfatiza ainda mais o que temos argumentado até este ponto.

Primeiramente, Paulo inicia o versículo 12 afirmando: "não que já a tenha alcançado ou que seja perfeito" (ARC). Na tradução da NVI, há a adição de um objeto: "não que eu já tenha obtido tudo isso" — partindo do entendimento de que Paulo se refere a tudo o que mencionou anteriormente. Em outras palavras, ele diz que conhece Cristo, mas ainda não plenamente, e chegará um dia em que conhecerá por completo. Ele cruzará a linha de chegada, e o prêmio não será um troféu; será conhecer plenamente Cristo.

Na segunda parte da frase, Paulo descreve sua procura por essa realização dizendo: "prossigo para conquistar". Ele está ativamente envolvido em chegar ao seu alvo. Mas a base para a conquista do alvo é já ter sido um alvo de Cristo.

Em terceiro lugar, Paulo está focado de tal maneira que realiza apenas uma ação: ele corre. O motivo que o faz correr é o prêmio. A velha vida de Paulo tinha razões completamente autocentradas. Tudo que o apóstolo listou anteriormente tinha o foco na confiança da carne. Mas todas as conquistas humanas são substituídas por apenas "uma coisa". O que é que ele faz? Ele deixa o que é velho para trás e, como um atleta, persegue o alvo.

Assim, Paulo se descreve como focado. Ele não atenta para os que estão atrás, para os outros corredores ou para o que caracteriza a antiga vida. O que está diante dele é o foco da corrida. O que seriam essas "coisas" que esperam Paulo na linha de chegada? Provavelmente sua ressureição. Certamente, aquele que corre olha não apenas para a linha de chegada, mas para o prêmio. O alvo é o momento escatológico, a consumação final.

Em suma, a linguagem do discipulado na metáfora do atleta nos ajuda a entender que os novos impulsos, desejos e alvos de vida daqueles que tiveram um encontro com Cristo são todos cristocêntricos. Além disso, deixar pesos para trás não é martírio, mas ganho, avanço, motivo de alegria para um atleta, porque a linha de chegada está mais próxima.

LIÇÕES FINAIS

A linguagem do discipulado em Filipenses 3 nos ajuda a compreender que a ênfase na performance ou no ego mina a alegria do verdadeiro discipulado e produz tristeza. Em contrapartida, o verdadeiro discipulado tem como foco o ganho, o valor supremo que é ter um relacionamento com Cristo e desfrutar do poder transformador da ressureição, vivendo uma vida de testemunho da mensagem da cruz.

Esse foco em Cristo é experimentado num ambiente de mortificação do pecado, de reestruturação dos anseios e dos alvos do coração. Assim, o foco da vida do discípulo é mais desfrutar do que conquistar. Não que haja ausência de conquistas, mas todas as lutas e vitórias só são possíveis por causa da vitória de Cristo. Existem algumas lições práticas que podemos aprender com a linguagem de discipulado de Paulo.

Primeiramente, a forma como pensamos no custo do discipulado pode ser afetada por um tipo de legalismo que remove a alegria da perda. Adicionamos tanto à vida cristã que manchamos a alegria da obra de, simplesmente, ser, viver — promovida pelo Espírito em nós. O resultado é esquecer que a vida cristã diz mais respeito a desfrutar do que a conquistar. Quando desfrutamos o perdão, então podemos perdoar; desfrutamos da santidade de Deus, então podemos buscar santidade; desfrutamos do amor de

Deus, então podemos amar. Por outro lado, nossas renúncias não podem perder de vista o objetivo: abandonar aquilo que insiste em se mostrar como valioso, mas não é. Lembre-se, porém, que muito embora ainda não tenhamos alcançado o nível de deixar tudo que deveríamos, nosso desejo é (ou deveria ser) alcançar esse estágio de vida. Esta é a diferença entre o cristão e o legalista: o primeiro tem interesse no desejo do alcance e reconhece que ainda está no caminho; o último acha que já alcançou tudo.

A segunda lição é um alerta: podemos falar de custo e, mesmo assim, ter uma existência autocentrada na qual a única diferença é uma linguagem religiosa que faz parte do culto ao nosso ego. Isso significa que podemos falar de custo e, na verdade, estar falando de confiança na carne. Sem a obra de Cristo e o Espírito Santo, todas as nossas lutas por mortificação nos levarão para o culto a nós mesmos, de forma que não viveremos com uma consciência de quão necessitados somos de crescimento. Ao contrário, nós nos avaliaremos em termos de performance, ou seja, de quão bons somos como cristãos.

Em terceiro lugar, ao fazer uma transição para sua biografia, Paulo nos deixa uma pista da linguagem certa para falar do custo. Ele fala sobre desistir por motivos maiores. No entanto o incentivo para buscar esses motivos maiores não deve ser igual ao que me fez buscar as obras antigas. Deixe-me ilustrar: alguém pode querer muito um certo tipo de celular, mas mudar de ideia ao descobrir que um modelo mais novo foi lançado — nos dois desejos, o centro motivacional é o mesmo (algo melhor para si). Mas essa pessoa não reduz o celular mais antigo a nada ou o considera como refugo, ela apenas deseja um *upgrade*. O que nos faz sofrer o custo não é descobrir algo melhor que o que tínhamos. O motivo real é que descobrimos que o que possuíamos não era nada e que a vida autocentrada nos cegava para isso. Para Paulo, o custo é desistir por motivos maiores. Não se trata apenas de uma atualização de religião, mas de olhar para a velha vida como nada. Assim, o discipulado verdadeiro envolve um tipo de alegria decorrente de perceber que o elemento perdido é nulo — ou extremamente negativo.

O quarto ponto: hoje, não podemos nos deixar influenciar por mensagens que falam de custo sem atacar o ego, sem mostrar para as pessoas que elas precisam desistir de si mesmas. Do contrário, estaremos mutilando a graça e o discipulado. Eu não posso recomendar que uma pessoa não cristã busque santidade, pois ela nunca conseguirá isso sem ter, em primeiro lugar, o coração mudado. O que nos leva ao céu são as lágrimas das correntezas do arrependimento, é a desistência de nós mesmos. Todo esforço é inútil, e tudo o que precisamos é de arrependimento genuíno, proveniente da mudança de coração.

A quinta lição: cuidado com a má nostalgia espiritual. Muitas vezes, alguns cristãos olham para sua antiga vida cristã e ficam cheios de saudade da época em que viviam mais intensamente para o Senhor. Eu entendo que nós devemos relembrar nossa caminhada na fé para fins de exame, para refletir se temos andado na trilha correta. Também compreendo que haverá certos momentos em que sentiremos saudade daquele tempo com Deus. Mas, quando Paulo diz estar se esquecendo "das coisas que ficaram para trás", ele indica que olha para o passado apenas para avançar. Nunca substitua a esperança verdadeira pela nostalgia. Nunca fique apenas nostálgico, sentindo falta dos momentos que você já teve com Deus. Tenha esperança de que aqueles momentos podem retornar. Quando olhar para suas memórias de cristão, atente para não estar satisfeito com a vida passada com o Senhor enquanto sua vida não anda tão bem hoje. Olhe com esperança para o Deus que não muda e que é cheio de misericórdia.

Por último, deixo uma mensagem àqueles que não se sentem correndo na vida cristã. Nem todos se sentem como atletas. Na verdade, alguns se sentem como atletas caídos. Eu gostaria que, nestas últimas palavras, Lutero pastoreasse sua alma quanto a isso, lembrando que é na Palavra que você encontra sua real identidade:

> O conforto é este, que em suas profundas ansiedades — nas quais sua consciência de pecado, tristeza e desespero é tão grande e forte que penetra e ocupa todos os cantos de seu coração — você não segue sua consciência. Pois se o fizesse, você diria: "Sinto os terrores violentos da Lei e a tirania do pecado, não apenas travando guerra contra mim novamente, mas me conquistando completamente. Não sinto nenhum conforto ou justiça. Portanto, não sou justo, mas pecador. E se eu sou um pecador, então estou condenado à morte eterna". Mas lute contra esse sentimento e diga: "Embora eu me sinta completamente esmagado e engolido pelo pecado e veja Deus como um juiz hostil e furioso, na verdade não é o caso; é apenas meu sentimento que pensa assim. A Palavra de Deus, que devo seguir nessas ansiedades e não na minha própria consciência, ensina muito diferente, a saber, que 'Deus está perto dos quebrantados de coração e salva os quebrantados de espírito' (Sl 34.18), e que 'Ele não despreza o coração quebrantado e contrito' (Sl 51.17)".[3]

≡ 9 ≡

O eterno e o passageiro:
Até o administrador infiel entende
mais de discipulado do que nós

A parábola do administrador astuto (ou administrador infiel) é uma das mais difíceis do Evangelho de Lucas, se não a mais difícil. Há vários motivos para isso. Como você sabe que um texto bíblico é difícil? Primeiramente, quando não o entendemos de imediato e, em segundo lugar, quando as traduções divergem muito entre si, o que nos faz pensar que os tradutores tiveram dificuldade com aquele texto. Esse é justamente o caso de Lucas 16.1-15:

> Jesus disse também aos seus discípulos:
> "Certo homem rico tinha um administrador. Um dia, ele recebeu uma denúncia de que esse administrador estava desperdiçando os bens dele. Então, chamando-o, lhe disse: 'Que é isto que ouço a seu respeito? Preste contas da sua administração, porque você não pode mais ser o meu administrador.'
> "O administrador, então, se pôs a pensar: 'Que farei, agora que estou sendo demitido pelo meu patrão? Trabalhar na terra, não posso. De mendigar, tenho vergonha. Já sei o que vou fazer, para que, quando for demitido, as pessoas me recebam em suas casas.'

"Tendo chamado cada um dos devedores do seu patrão, perguntou ao primeiro: 'Quanto você deve ao meu patrão?' Ele respondeu: 'Cem barris de azeite.' Então o administrador disse: 'Pegue a sua conta, sente-se depressa e escreva cinquenta.' Depois, perguntou a outro: 'E você, quanto deve?' Ele respondeu: 'Cem sacos de trigo.' O administrador lhe disse: 'Pegue a sua conta e escreva oitenta.' E o patrão elogiou o administrador infiel por sua esperteza. Porque os filhos do mundo são mais espertos na sua própria geração do que os filhos da luz.

"E eu recomendo a vocês: usem a riqueza injusta para fazer amigos, para que, quando a riqueza faltar, vocês sejam recebidos nos tabernáculos eternos.

"Quem é fiel no pouco também é fiel no muito; e quem é injusto no pouco também é injusto no muito. Portanto, se vocês não forem fiéis na aplicação da riqueza injusta, quem lhes confiará a verdadeira riqueza? Se vocês não são fiéis na aplicação do que é dos outros, quem lhes dará o que é de vocês? Nenhum servo pode servir a dois senhores; porque irá odiar um e amar o outro ou irá se dedicar a um e desprezar o outro. Vocês não podem servir a Deus e à riqueza."

Os fariseus, que eram avarentos, ouviam tudo isto e zombavam de Jesus. Mas Jesus lhes disse:

"Vocês são os que se justificam diante dos homens, mas Deus conhece o coração de vocês; pois aquilo que é elevado entre homens é abominação diante de Deus".

Estamos tratando aqui da essência do discipulado em contraste com as mentiras da teologia do *coaching*, e umas das características próprias do discipulado, tanto nos Evangelhos como nas cartas de Paulo, é que ele envolve um custo, envolve perder algo. Quando falamos de custo, falamos de comparação: quando Jesus nos chama para entregar o preço do discipulado, ele quer que calculemos aquilo que tem valor em relação àquilo que não tem. Esse é o chamado do discipulado. Jesus tem valor, nada mais tem. Basicamente, fazemos esse cálculo e seguimos Jesus. No Evangelho de Lucas, encontramos também um chamado ao discipulado por meio de parábolas bem conhecidas, como as da ovelha perdida, da dracma perdida e do filho pródigo, que estão no capítulo 15. No capítulo 16, temos a parábola do administrador infiel e do rico e o mendigo (ou o rico e Lázaro). Qual é o contexto de todas essas histórias? O custo do discipulado. Volte ao final do capítulo 14 e perceba que o Evangelho prepara o leitor para as parábolas. Algumas Bíblias acrescentam nessa seção um subtítulo como "As condições para ser seguidor de Jesus" ou "O preço do discipulado". Jesus chama a multidão e diz: "Se alguém vem a mim e não me ama mais do que ama o seu pai, a sua mãe, a sua mulher, os seus filhos, os seus irmãos, as suas irmãs e até a sua própria vida, não pode ser meu discípulo. E quem não tomar a sua cruz e vier após mim não pode ser meu discípulo" (14.26-27). Em seguida, ele começa a falar sobre o preço do discipulado.

A partir do verso 28, Lucas apresenta duas histórias. A primeira trata de um homem que começa uma construção e, por não conseguir conclui-la, simplesmente desiste. A segunda, de um rei que entra na guerra, mas, sem soldados suficientes, abandona o combate para não ser derrotado. Após os dois exemplos, Lucas escreve: "Da mesma forma, qualquer de vocês que não renunciar a tudo o que possui não pode ser meu discípulo. 'O sal é bom, mas se ele perder o sabor, como restaurá-lo? Não serve nem para o solo nem para adubo; é jogado fora. 'Aquele que tem ouvidos para ouvir, ouça'" (Lc 14.33-35, NVI). Qual é a relação entre abraçar o custo do discipulado e o sabor do sal? É esta: aquele que escuta o chamado e o rejeita é como o sal que perdeu o sabor e não serve para mais nada. Em outras palavras, aquele que rejeita o discipulado recusa a razão pela qual existe. Essa pessoa não serve mais para Deus. O sal está no texto para dizer que nós fomos feitos para ser discípulos e, se não abraçamos o chamado, não temos mais utilidade. Quando você não abraça o custo do discipulado, não está apenas rejeitando o preço que deve ser pago, você está rejeitando sua razão de viver. Se eu precisasse resumir o significado desse texto para a sua vida, eu diria o seguinte: Você só serve para ser discípulo. Se você não é, você não serve para mais nada, pois essa é a razão da sua vida.

João Calvino escreveu que, quando estamos fora de nossa vocação, a vida parece não se encaixar mais, e ficamos sem saber o que fazer. Mas, quando estamos dentro de nossa vocação, tudo entra em harmonia. Eu aplico a ideia de Calvino ao discipulado. Quando você não quer abraçar o custo dele, mas quer continuar indo à igreja como um atendente superficial, a sua vida deixa de fazer sentido. O alerta de Jesus é "aquele que tem ouvidos para ouvir, ouça". Essa frase retorna em Apocalipse. É uma palavra de alerta. Quem tem ouvidos é aquele que atende ao chamado. Ele é como o sal que mantém o sabor. Ainda serve para aquilo que foi designado para ser.

As parábolas seguintes, no capítulo 15, indicam quem está apto para abraçar o custo do discipulado. É possível que você pense que apenas alguém muito qualificado é capaz disso. Porém, na realidade, quem abraça esse custo são pessoas fracassadas. "Mas como pode ser, se esse é um caminho que exige tanto?", você pode questionar. Por que pessoas fracassadas? Observemos a parábola da dracma perdida. A dracma em questão está inútil, pois está desaparecida. Mas ela é achada no fim da história. Na parábola seguinte, a do filho pródigo, o caçula se perde, mas é encontrado. As histórias posteriores tratam de alguém que fracassou, mas que conseguiu atender ao chamado. Portanto o convite ao discipulado não chega até nós porque somos qualificados, mas porque somos fracassados.

Se você acha que é qualificado, você não é. Se começou a entender seu fracasso, então começou a chegar perto da porta do discipulado. Discípulos não se iniciam porque se acham capazes. Discípulos se tornam discípulos porque entenderam que o caminho que trilhavam já não fazia sentido para eles. Descobriram um caminho muito maior e melhor.

Voltemos um pouco no texto bíblico para a primeira parábola, a da ovelha perdida. Jesus afirma que "haverá mais alegria no céu por um pecador que se arrepende do que por noventa e nove justos que não necessitam de arrependimento" (Lc 15.7). Falar sobre justos que não necessitam de arrependimento é uma ironia. Aquele que acha que não precisa de perdão é o que está mais distante de Deus. Jesus está dizendo que prefere um que se afastou, mas se arrependeu, a noventa e nove que acreditam já serem suficientemente justos. Quem é qualificado para o discipulado é quem foi achado pela graça de Deus, aquele cujo coração foi tocado e transformado por Jesus. É isso que a parábola da ovelha perdida nos diz. As duas primeiras parábolas de Lucas 15 destacam a soberania de Deus em nos chamar para o discipulado. Eu sou discípulo porque, antes de tudo, a graça me alcançou e me qualificou para a tarefa. Você não se torna seguidor de Jesus porque buscou o Senhor primeiramente. Jesus foi, alegremente, atrás de você no lugar onde você estava perdido.

Percebe o rumo das parábolas? Na primeira, uma ovelha se perdeu. Imagine que você tem cem ovelhas no deserto de Israel e perde uma delas. O pastor da história deixa as noventa e nove. Ele nem mesmo pede ajuda a alguém para vigiar o rebanho. Simplesmente o deixa para trás. Com isso, Jesus está dizendo que faz tudo que for preciso para alcançar o que se perdeu. Quem se qualifica para ser discípulo é aquele que foi buscado alegre e amorosamente. O foco da parábola da ovelha perdida está no momento em que o pastor encontra a ovelha. Ele pega o animal ferido e cansado e o põe sobre os ombros. Jesus chama a atenção para o que esse homem faz. As pessoas aptas a serem seguidoras de Jesus são as que foram encontradas pelo pastor que tanto as ama e que abandonou tudo para buscá-las. De igual modo, a história da dracma perdida fala de uma mulher que varre a casa inteira e não mede esforços para encontrar uma única moeda.

A parábola seguinte é a conhecida história do filho pródigo. Jesus coloca muita emoção nessa narrativa. Ela inicia com o filho mais novo pedindo a herança do pai. Essa atitude significa, basicamente, que ele desejava não ver o pai nunca mais. Para ele, o pai estava morto. O homem entrega a parte da herança ao filho caçula, que vai para muito longe de casa e começa a desperdiçar todo o dinheiro. Até que vem uma grande fome, o dinheiro acaba e ele chega ao ponto de desejar comer a comida dos porcos de que cuidava. Ele perdeu tudo. Fracassou. Mas o que faz que o filho pródigo mude de atitude? A resposta está no verso 17: "Então, caindo em si, disse: 'Quantos trabalhadores de meu pai têm pão com fartura, e eu aqui estou morrendo de fome!'". Algumas pessoas acham que o filho pródigo não se arrependeu nesse momento, porque ele ainda parece um pouco aproveitador. Ele está com os porcos, e, na casa de seu pai, existe fartura de comida. Logicamente, ele deseja ir para onde há conforto, por isso há quem acredite que ele está apenas se aproveitando da condição do pai. Mas eu entendo que não é esse o foco do texto. O foco é: o filho começou a cair em si. Começou a pensar novamente de forma sábia. Até esse momento, ele havia gastado tudo o que tinha de forma irresponsável. Quando começa a cair em si, ele passa a pensar no que é melhor para ele. Começa a se arrepender do que fez. As parábolas do filho pródigo, do administrador infiel e do rico e o mendigo destacam a responsabilidade humana de arrependimento. É por isso que encontramos algo em comum nelas: os personagens param por um minuto e começam a pensar.

O que faz, de fato, que o filho seja recebido de novo na casa do pai? Arrependimento. Não o sucesso, mas o arrependimento após o fracasso. Enxergue a cena: o filho surge sujo e maltrapilho. Lucas destaca que o pai o vê de longe, não o contrário. O pai começa a correr. Para nosso olhar ocidental, isso revela que ele está com saudade e quer abraçar o filho. Mas essa interpretação não é totalmente correta. Sem dúvida, a atitude demonstra a misericórdia do pai. Mas, naquela época e lugar, um idoso correr era algo vergonhoso. Além disso, existia uma punição para os filhos que abandonavam o pai na velhice, iam para a cidade e gastavam tudo. O castigo consistia em o filho ficar nu, durante vários dias, na praça da cidade e qualquer transeunte tinha permissão para cuspir nele. Na reconstrução histórica de Lucas, provavelmente o pai correu para o filho porque não queria que outras pessoas o levassem para a praça. O pai se submete à humilhação porque quer evitar a vergonha do filho. O pai abraça a vergonha para que o filho não a abrace. Isso é misericórdia. A ideia central da parábola do filho pródigo é que o pai recebe o filho em casa e ainda abraça sua vergonha. E ele faz tudo isso porque o filho se arrependeu. O que nos qualifica para ser discípulos não é o nosso sucesso, mas o reconhecimento do nosso fracasso. Assim, encontramo-nos novamente no local de onde nunca deveríamos ter saído: perto do pai.

Para ser discípulo de Jesus, é necessário que haja uma mudança de estado de perdido para achado, de morto para vivo. Mas essa mudança não foi encontrada no filho mais velho, que é apresentado em Lucas 15.28-32. Ele não muda. O filho primogênito é um perdido dentro de casa. Era a religiosidade que o impedia de desfrutar do reino, da comunhão e da alegria com o pai. As parábolas da ovelha e da dracma destacam a soberania de Deus em buscar e achar o perdido. A parábola do filho pródigo destaca, por outro lado, a atitude de arrependimento que nos faz voltar e mostra que é o nosso fracasso que nos faz discípulos, não o sucesso. É tudo a ver com Deus me encontrando em meu fracasso, e o arrependimento em meu coração me trazendo de volta.

O que pode impedir alguém de ser um discípulo? Querer ser discípulo, mas não estar disposto a abrir mão de tudo que deve. Uma pessoa que quer servir a dois senhores não pode seguir Jesus — é o que lemos no fim do capítulo 16. Não existe "jeitinho" para o discipulado. Ou você é um discípulo, ou não é. Ou você abraça, ou deixa. Mas não é possível tentar ser um quase crente para adorar um quase Deus e entrar em um quase céu. Jesus ensina que pessoas assim fracassam.

Releia, com atenção, a parábola do administrador infiel, narrada em Lucas 16. Perceba que, após ser acusado de roubo, o servo não nega a acusação: "O administrador, então, se pôs a pensar: 'Que farei, agora que estou sendo demitido pelo meu patrão? Trabalhar na terra, não posso. De mendigar, tenho vergonha'" (16.3).

Assim como o filho pródigo, o empregado começa a refletir sobre o que faria em seguida. Depois que o filho pensa sobre a própria situação, ele se arrepende e volta para a casa do pai. O que acontece após a reflexão do administrador? Lucas 16.4-8 responde: ele chama cada um dos devedores de seu patrão e vai perguntando quanto cada um deve. Em seguida, ele lhes diz que paguem a conta, mas registrem um valor menor. O texto bíblico diz então que "o patrão elogiou o administrador infiel por sua esperteza" e conclui: "Porque os filhos do mundo são mais espertos na sua própria geração do que os filhos da luz".

Por que o patrão elogiou a atitude desonesta do servo? Alguns vão interpretar que o administrador queria completar o pagamento das dívidas para mostrar sua bondade. Por exemplo, o homem que devia cem sacos de trigo pagaria apenas oitenta, e o servo completaria o pagamento com os vinte sacos que faltavam. Isso justificaria o elogio do patrão. No entanto, não acredito que fosse essa a ideia do administrador, pois o texto não dá indícios dela.

No verso 9, lemos o seguinte conselho de Jesus: "E eu recomendo a vocês: usem a riqueza injusta para fazer amigos, para que, quando a riqueza faltar, vocês sejam recebidos nos tabernáculos eternos". Consegue entender o que está acontecendo? Concorda comigo sobre essa ser uma parábola difícil? O que eu compreendo desse texto é que ele nos apresenta uma ironia. Quando o senhor chega e vê a atitude do administrador, ele elogia ironicamente. O texto concede duas informações conflitantes: o servo quer ganhar amigos do mundo para ganhar moradas eternas. Isso não é coerente. Como ele pode ganhar casas eternas entregando dinheiro a amigos do mundo? O dinheiro terreno não se mistura com valores futuros de moradas eternas.

"Jesus estava mesmo sendo irônico?", você pode se perguntar. Sim, ele estava. Por exemplo, quando o intérprete da lei questiona sobre o que deve fazer para herdar a vida eterna, Jesus pergunta o que está escrito na lei. O jovem responde. Jesus, então, orienta: "Faça isto e você viverá" (Lc 10.28). Isso é uma ironia. Como alguém seria capaz de amar a Deus de todo o coração, de toda a alma, com todas as forças e todo o entendimento?

A parábola do administrador infiel nos dá uma grande ironia. Jesus cria um contraste com o filho pródigo. O filho pródigo agiu sabiamente, porque voltou para casa do pai e se arrependeu. Mas o administrador infiel não agiu sabiamente, porque não houve arrependimento. Ele achou que estava sendo sábio. Acreditou que poderia continuar vivendo de forma desonesta e, no fim, ainda ganhar o céu. Esse personagem representa alguém que confia que a aparência de religiosidade terrena será facilmente aprovada por Jesus no fim. Isso é impossível. O Mestre está ensinando que, se você quer ser um discípulo, precisa abrir mão agora, não apenas no final.

Quando voltamos à narrativa bíblica com a ironia em mente, os versos 10 a 12 fazem sentido: "Quem é fiel no pouco também é fiel no muito; e quem é injusto no pouco também é injusto no muito. Portanto, se vocês não forem fiéis na aplicação da riqueza injusta, quem lhes confiará a verdadeira riqueza? Se vocês não são fiéis na aplicação do que é dos outros, quem lhes dará o que é de vocês?". Para receber a herança honesta na eternidade, nós precisamos viver honestamente aqui. Jesus encerra a história ensinando que não se pode encontrar sentido e valor para a vida no dinheiro, enquanto se continua agarrado à religião a fim de ser salvo do inferno. Não se pode negociar com a fé. "Nenhum servo pode servir a dois senhores; porque irá odiar um e amar o outro ou irá se dedicar a um e desprezar o outro. Vocês não podem servir a Deus e à riqueza" (16.13).

O princípio da parábola é que surgirão candidatos para você seguir, e um deles será a avareza, a riqueza, o dinheiro — que Jesus chama de Mamom. Servir ao dinheiro significa encontrar motivação nas riquezas, no reconhecimento e nos aplausos deste mundo. Jesus diria que você é um servo de Mamom, independentemente de suas práticas religiosas, pois você não pode servir a dois senhores. O discipulado lhe dá um motivo diferente de existência e o chama a servir a apenas um senhor. O discipulado revela o único motivo pelo qual você está vivo. Uma das maneiras de tentar compreender as parábolas é buscando quem reagiu e como reagiu ao que Jesus disse. A Bíblia nos mostra que os fariseus entendiam o que Jesus estava querendo dizer. Eles eram as pessoas que amavam o dinheiro: "Os fariseus, que eram avarentos, ouviam tudo isto e zombavam de Jesus" (16.14).

A parábola do filho pródigo termina com uma pergunta ao filho mais velho, mas não sabemos qual foi a resposta dele. De maneira análoga, também desconhecemos a reação do administrador infiel ao ser pego no ato de desonestidade. Os dois finais são abertos. Parece que ambos oferecem uma chance para que os ouvintes se arrependam. Qual terá sido a reação dos fariseus ao se identificarem com o filho mais velho e o administrador infiel? Será que a reação deles foi como a do filho mais novo, que se arrependeu, ou foi como a do rico, da parábola do rico e o mendigo, que vem a seguir?

Jesus está dizendo, com essas histórias, que existe um momento em que o estado de perdido ainda pode ser mudado para o estado de achado, e esse momento é agora. O filho pródigo pode deixar de estar perdido e ser achado. O administrador infiel pode se arrepender e mudar. Mas esse momento vai acabar, e chegará um tempo em que o arrependimento não será mais uma opção. É sobre isso que a parábola do rico e o mendigo ensina. Leiamos Lucas 16.19-22:

> Ora, havia certo homem rico que se vestia de púrpura e de linho finíssimo e que se alegrava todos os dias com grande ostentação. Havia também certo mendigo, chamado Lázaro, coberto de feridas, que ficava deitado à porta da casa do rico. Ele desejava alimentar-se das migalhas que caíam da mesa do rico, e até os cães vinham lamber-lhe as feridas. E aconteceu que o mendigo morreu e foi levado pelos anjos para junto de Abraão. Morreu também o rico e foi sepultado.

O rico não tem nome, mas sabemos que o pobre se chama Lázaro. Isso mostra, de alguma forma, que o mendigo era importante para Deus. Nos versos 23 a 26, Jesus mostra o momento em que não há mais oportunidade de mudança:

> No inferno, estando em tormentos, o rico levantou os olhos e viu ao longe Abraão, e Lázaro junto dele. Então, gritando, disse: "Pai Abraão, tenha misericórdia de mim! E mande que Lázaro molhe a ponta do dedo em água e me refresque a língua, porque estou atormentado neste fogo." Mas Abraão disse: "Filho, lembre-se de que você recebeu os seus bens durante a sua vida, enquanto Lázaro só teve males. Agora, porém, ele está consolado aqui, enquanto você está em tormentos. E, além de tudo, há um grande abismo entre nós e vocês, de modo que os que querem passar daqui até vocês não podem, nem os de lá passar para cá".

O fim chegou. No inferno, o máximo que você poderá sentir é remorso, não arrependimento. Este está disponível apenas hoje. O filho perdido pode ser achado hoje. O administrador infiel pode ser fiel hoje. Mas, quando a morte chegar, não haverá retorno do grande abismo.

O texto ainda mostra que, mesmo que houvesse ressurreição, o rico não iria mudar. Se Jesus aparecesse para alguns, eles ainda não creriam. Foi exatamente isso que aconteceu quando Jesus se tornou homem. Algumas pessoas o seguiam apenas em busca de milagres. Nosso problema é o coração, e Jesus conhece nosso coração. Por isso, o discipulado pertence àqueles que fracassaram, reconheceram seus erros, foram alcançados pela graça, abraçaram o custo e descobriram que, para ganhar o céu, precisam abrir mão do que é terreno. Trata-se de uma nova forma de ver a vida, de trabalhar, de tratar a família e as pessoas à sua volta. Não consiste em, simplesmente, ir ao culto. Antes, é um novo modo de celebrar a vida. Abraçar o custo é dizer "eu descobri o motivo para o qual eu vivo", ainda que isso cause sofrimento. Todo cristão precisa ter claro em sua mente que o propósito da vida é somente um: ser discípulo de Jesus.

Há três ensinamentos nessas parábolas que precisam estar alicerçados em nosso coração e se transformar em vida prática. O primeiro: o administrador infiel estava tentando reconciliar o que é eterno com o passageiro, e isso é impossível. Não existe possibilidade de você tratar sua esposa como um cão e achar que vai ganhar o céu. Você não pode viver com os mesmos princípios, valores e atitudes de pessoas descrentes e ainda acreditar que ingressará nos portões do paraíso. Isso quer dizer que o Senhor está chamando pessoas perfeitas? Não. Ele está chamando pessoas arrependidas. Em segundo lugar, cuidado com a ganância, pois ela mente sobre o que realmente importa. Ela fará você perseguir, por toda a vida, tesouros terrenos e deixar para trás o que é significativo. A ganância promete sentido no que é falso. Por fim, discipulado não tem a ver com perfeição, mas com arrependimento. Está relacionado com abandonar o que não tem valor e lutar, principalmente, contra a ganância. Portanto lute para ser um discípulo. Lembre-se: não podemos servir a dois senhores. Quais são os ídolos que nós precisamos quebrar?

Conclusão

Sabemos que este foi um livro pesado de ler. Talvez um livro incômodo. E cremos que a pergunta "o que fazer agora?" pode estar latejando na sua mente. Por isso, depois de tudo o que expusemos, queremos oferecer conselhos pastorais para algumas situações. Veja em qual você se encaixa, leia, ore e pense muito bem antes de tomar alguma atitude.

1. FUI MUITO ABENÇOADO PSICOLOGICAMENTE COM A TEOLOGIA DO *COACHING*, MAS ESTE LIVRO ME FEZ DESCONFIAR DE TUDO QUE OUVI.

Você não precisa rejeitar os cuidados de Deus na sua vida até aqui porque eles vieram de pregações que misturavam verdade com mentira. Deus pode usar quem quiser para o bem de seu povo. Muitos de nós encontramos salvação em Cristo Jesus por meio dos antigos pregadores da prosperidade. No entanto, o Senhor nos deu amadurecimento para que pudéssemos abandonar esses erros. Seja grato ao Deus que sustentou você até aqui.

2. ESTOU NUMA IGREJA QUE PREGA E ENSINA A TEOLOGIA DO *COACHING*.

Se esta é sua situação e você não é o pastor, a melhor opção, na maioria dos casos, é sair em paz da igreja e procurar outra que tenha um ensino bíblico mais saudável. Antes disso, é claro, você pode analisar a possibilidade de mudança da sua própria igreja. Em igrejas menores ou com pastores mais próximos e abertos, ou quando a teologia do *coaching* ainda está dando os primeiros passos, talvez seja possível mudar algo. Antes de qualquer ação, ore sobre tudo isso. Ore para Deus lhe conceder sabedoria, santidade e direcionamento. Então você estará pronto para tomar algumas medidas. A primeiras delas é conversar amorosa e respeitosamente com seu pastor e/ou liderança. Você pode até presenteá-lo com este livro e sugerir a leitura. A disposição dele de ler ou não dirá muita coisa. Julgue a possibilidade de mudança a partir dessa conversa.

Se a possibilidade não for claramente boa, então é melhor sair. Sabemos que essa não é uma decisão fácil, principalmente quando alguém ama a igreja, os pastores e os membros. Sei que existem laços afetivos difíceis de serem cortados. Mas, acredite, é a melhor decisão para você e para a igreja que você ama e respeita. Em geral, quando surge um grande problema na igreja, nossa vontade é agir para corrigi-lo. Isso é louvável, e devemos mesmo fazê-lo em muitas ocasiões. Mas quando o problema é o ensino e a cultura da igreja, e esses já estão enraizados e bem consolidados na mente da liderança e dos membros, torna-se praticamente impossível fazer algo.

Seremos realistas com você: se o seu pastor acredita na teologia do *coaching* e a tem ensinado, se a sua igreja possui essa cultura, se a maioria dos membros está vivendo com base nela e gostando dela, dificilmente você conseguirá algo bom. É mais provável que cause estragos e machuque pessoas. Além disso, por que uma igreja precisaria mudar todo o seu ensino (que ela considera correto) se apenas você ou poucas pessoas discordam dele? Sabemos que você deseja que aquela igreja não viva mais no engano (nós também desejamos isso para todas as igrejas), mas pense bem no que você seria capaz de fazer. Será que insistir em mudar essa igreja a partir de você ou de um pequeno grupo de pessoas que concorda com você é o melhor caminho? Pensamos que não.

Em primeiro lugar, essa insistência fará mal à sua alma. Ficar numa igreja da qual você discorda e na qual não se sente bem para cultuar a Deus e ser ensinado vai, pouco a pouco, minar sua relação com Deus e com seu povo. É provável que você se torne cada vez mais frio e crítico. Segundo, essa insistência fará mal à liderança da igreja. Mesmo errados, eles estão defendendo suas convicções. Como pastores, nós sabemos o quanto é ruim enfrentar oposições de membros. Se conversar não resolveu a questão, não insista dando uma de reformador. Até Lutero percebeu que seria melhor deixar a igreja de Roma do que continuar numa luta interna e eterna. Terceiro, você fará mal à igreja e a pessoas que ama. Alguns vão se juntar a você, e isso formará uma igreja dentro da outra. Pessoas podem ter você como o líder ou pastor delas. Isso não é bom. Há um grande potencial de dividir a igreja e machucar aqueles envolvidos nessa divisão. Aprendemos tudo isso na prática e, portanto, não recomendamos o caminho da luta ou rebelião interna.

Consciente disso, o segundo passo é informar sua saída da igreja. Procure explicar os motivos e sair em paz, de forma tranquila e sem rebeldia, inimizade ou divisão. Sair de uma membresia é algo sério e delicado e não deve ser feito como quem sai de um grupo de WhatsApp. Faça de maneira santa e honre aquele pastor e igreja. O terceiro e último passo é procurar uma igreja saudável. Talvez ela seja bem diferente da sua antiga igreja em termos de estética, liturgia, pregação e cultura. Você pode demorar a se adaptar, mas foque-se na boa teologia, na pregação expositiva, na interpretação bíblica, na seriedade com ceia, batismo, membresia e disciplina. Foque-se numa igreja que valoriza missões e discipulado. E foque-se numa igreja que tenha uma vida de amor fraternal verdadeiro e cotidiano.

E, por favor, lembre-se que não existe igreja perfeita e não passe muito tempo sem igreja, pulando de galho em galho. Procure a mais saudável possível e torne-se membro. Talvez alguns amigos e pessoas da antiga igreja queiram ir com você para sua nova igreja. Não há problema, apenas tome cuidado para não ser um ativista que ficará jogando os outros contra suas igrejas e convidando-os exageradamente para se tornarem membros de sua nova igreja. Em resumo, nosso melhor conselho é sair em paz e se tornar membro de uma comunidade mais saudável. E ali viver igreja intensamente!

3. ESTOU DECEPCIONADO E PSICOLOGICAMENTE/EMOCIONALMENTE MACHUCADO PELA TEOLOGIA DO *COACHING*.

O engano teológico machuca porque nos leva a viver e construir certas coisas em nossa vida sobre o alicerce frágil do erro. E, quando tudo desmorona, muitas coisas importantes são afetadas. Porém, é necessário aprender a recomeçar. Nossa jornada sempre será marcada por muitos recomeços, inclusive recomeços de compreensão teológica. Permita-nos dar três conselhos sobre esse recomeço.

Primeiro, o autor de Hebreus, depois de um intenso embate contra falsos ensinos que seus leitores estavam tentados a aderir, chama-os a continuarem correndo com os olhos no autor e consumador de nossa fé (Hb 12.2). Assim, recomeçar depois do engano da teologia do *coaching* é lutar contra a tentação de permanecer preso nas amarguras do passado de engano. É preciso entender a necessidade de prosseguir com olhos, coração e mente em Jesus.

Segundo, cuidado para não confundir sua decepção com certa teologia errada com decepção com qualquer teologia. É claro, muitas incertezas surgem depois da compreensão de que se viveu no engano por muito tempo, e tudo parece se tornar duvidoso, mas é nessa hora que precisamos nos atentar para a "nuvem de testemunhas" (Hb 12.1). Essa nuvem é formada de homens e mulheres do passado que permaneceram fiéis ao núcleo da nossa fé. Assim, lembre-se que você não está sozinho na fé verdadeira. Estude a história da sua fé, e isso o ajudará a correr com segurança.

Terceiro, procure ângulos diferentes para ver seu momento de erro na teologia do *coaching*. Sim, existe o ângulo da decepção, mas existem também outras formas de interpretar esses momentos. Uma dessas formas é olhar com gratidão porque Deus não deixou que você permanecesse no erro. Outra forma de interpretar é pelo ângulo da missão, ou seja, você poderá ajudar pessoas que precisam ter os olhos abertos para o verdadeiro evangelho. Existem muitas outras formas de enxergar tudo pelo que você passou. Procure seu pastor ou um irmão mais experiente na fé e permita-se apreciar outras perspectivas, a bênção dos diversos olhares da comunhão. Isso ajudará você também a não permanecer alimentando amargura no coração, de modo que possa se esquecer das coisas que ficaram para trás e avançar para as que estão à sua frente, prosseguindo para o alvo a fim de ganhar o prêmio do chamado celestial de Deus em Cristo Jesus (Fp 3.13-14).

4. HÁ PESSOAS QUE EU AMO EM IGREJAS QUE PREGAM E ENSINAM A TEOLOGIA DO *COACHING*.

Na situação 2 tratamos um pouco do que não fazer numa situação parecida. Repetiremos aqui algo crucial. Não seja aquele irresponsável que ficará jogando membros contra a própria igreja. Não use a via bélica, mas a via amorosa. Provavelmente ninguém lhe dará ouvidos se você for o chato que só critica a igreja dos outros. É necessário amor, paciência, amizade e ensino.

Se você ainda não tem, recomendo que construa uma relação de confiança, respeito e amor que demonstre disposição para falar de teologia e dos pontos fracos de ambas as igrejas, a sua e a da pessoa que você ama. Use essa relação para apontar o erro em amor e ensinar a verdade com paciência. Este livro faz isso e, novamente, você pode presenteá-lo ou emprestá-lo às pessoas que pretende ensinar. Leiam juntos, se possível. Compartilhe sua leitura com essas pessoas. Indique boa teologia na internet. Esteja sempre perto para ensinar por meio da amizade. Não seja a pessoa distante que ataca com irresponsabilidade.

E por último e mais importante: ore por essas pessoas. Ore bastante. Orem juntos, se possível. Aproveite para convidá-las a conhecer sua igreja ou uma igreja saudável mais próxima de onde moram. Vá junto conhecer. Em suma, seja um bom amigo cristão. Valorize o ensino e o exemplo. E, se depois de tudo isso a resposta for negativa, respeite. Daqui a algum tempo você poderá tentar de novo.

5. SOU UM PASTOR QUE TEM ENSINADO A TEOLOGIA DO *COACHING*.

Nosso amigo de chamado, você deve saber que ser pastor é ser responsável por vidas (Hb 13.17b). Você deve saber que não estamos simplesmente num debate de ideias, mas que nossa missão diz respeito à eternidade (2Co 4.18). Por isso, lembre-se que o nosso julgamento será mais rigoroso em vista do alcance e do impacto positivo ou negativo que nosso ensino terá sobre a vida das pessoas (Tg 3.1). Lembre-se que o seu chamado é para guardar o bom depósito, que é o evangelho em sua mais pura forma (2Tm 1.14). Não tente selecionar um único item desse depósito. Seu chamado é para guardá-lo todo. Por isso, pregue e ensine todo o conselho de Deus (At 20.27). Não insista em ensinos que não possuem valor teocêntrico, que apontam somente para uma única ênfase em seu ministério, uma que visa mais emocionar pessoas do que mantê-las despertas para a missão de Deus (1Ts 4.13; Rm 13.11; 1Pe 1.13).

Amigo, precisamos sempre em nosso ministério de um momento de autoanálise. Um momento em que precisamos saber para onde estamos indo de fato. Se você está vivendo esse momento de autoanálise agora e chegando à conclusão de que muitas de suas ênfases de ensino fugiram do verdadeiro evangelho, comece pregando e ensinando com fidelidade, e se em determinado momento você precisar se retratar, saiba que, por mais constrangedor que seja falar para sua igreja que você errou sobre várias coisas, é melhor viver esse momento de reconstrução do seu pastoreio com sinceridade e honestidade do que no último dia perceber que não houve um bom combate combatido, que a fé verdadeira não foi guardada, que a carreira não foi vivida na estrada correta (2Tm 4.7-8). Se for necessário se posicionar diante de sua liderança, não tenha medo, pois maior temor devemos ter diante do tribunal de Deus (2Co 5.10).

Permita-nos terminar com um último conselho. Comece pregando o evangelho e criando em cada ambiente de sua igreja um amor pelo ensino puro, e deixe que a Palavra faça o trabalho dela.

Foque-se também na sua liderança e traga com você a história da igreja. Mostre aos membros que aquilo que você está ensinando não é novidade ou modismo, mas o testemunho daquilo que tem sido pregado e enfatizado desde o princípio pelo corpo de Cristo (1Jo 1.3-4). Além disso, distribua boa literatura de grandes homens de Deus para sua liderança e igreja. Sabemos que o processo de desconstrução e reconstrução será complicado e lento, mas nada neste mundo pagará o prazer de saber que você está, de fato, proclamando e vivendo para a glória do nome de Deus.

6. SOU UM PASTOR QUE REJEITA A TEOLOGIA DO *COACHING*, MAS MINHA IGREJA TEM SIDO ATRAÍDA POR ESSA DOUTRINA.

Se você é um pastor que exerce ensino frequente na igreja, você é a principal voz de autoridade sobre o povo. Logo, o Senhor pode ter lhe revelado meios de proteger os irmãos de erros capazes de prejudicar o relacionamento deles com Cristo. Escolha passagens bíblicas sobre discipulado e sofrimento — talvez algumas das que mostramos neste livro — e apresente para os irmãos domingo após domingo.

Se você não é o principal pregador da sua igreja, mas prega para grupos específicos como jovens ou universitários, ou é professor de escola dominical, você precisará ser inteligente, paciente e amoroso. Um confronto direto com outros pregadores da comunidade pode não ser a melhor decisão, ao passo que construir positivamente uma visão bíblica do discipulado pouco a pouco ajudará os irmãos a se protegerem de todo *coaching* teológico que se disfarce de pregação.

Se você é pastor auxiliar ou administrativo, você possui menos ou nenhum tempo no púlpito. Mesmo assim, você tem mais contato e influência sobre o corpo pastoral que um irmão comum da comunidade. Convide outros pastores para almoçar. Compartilhe literatura. Envie vídeos. Exerça influência positiva e amorosa sobre a liderança da sua comunidade.

7. SEMPRE REJEITEI A TEOLOGIA DO *COACHING*, GOSTEI MUITO DESTE LIVRO E PRETENDO ENTRAR NUMA GUERRA CONTRA ESSES HEREGES MALDITOS.

Vá com calma, meu caríssimo cruzado. Talvez você deva esperar um pouco antes de afiar a espada e cortar cabeças nas redes sociais. Dê um tempo para amadurecer no seu coração o que leu aqui e aplicar na sua própria vida o custo do discipulado. Criticar quem afaga egos é fácil. Difícil é ser daqueles que realizaram muito no nome de Cristo, mas não são conhecidos por ele no final. Combata pelo evangelho, mas faça isso no amor de Cristo — sem isso, boa teologia será apenas uma forma de levar mais culpados ao caminho da perdição.

Notas

INTRODUÇÃO

[1] Ray Bradbury, *Fahrenheit 451: A temperatura na qual o papel do livro pega fogo e queima* (São Paulo: Globo, 2020), p. 106.

CAPÍTULO 1

[1] Peter H. Davids, *The Letters of 2 Peter and Jude*, The Pillar New Testament Commentary (Grand Rapids, MI: Eerdmans, 2006), p. 150.
[2] D. A. Carson, Douglas Moo e Leon Morris, *Introdução ao Novo Testamento* (São Paulo: Vida Nova, 1997), p. 328.
[3] Douglas Moo, *Galatians*, Baker Exegetical Commentary of The New Testament (Grand Rapids, MI: Baker Academic, 2013), p. 80.
[4] Jesus como chave hermenêutica é uma visão que só aceita como verdade bíblica aquilo que vem do próprio Jesus ou que se assemelha aos ensinos de Jesus. Aquilo que parece diferente de Jesus é rejeitado, mesmo que esteja no cânon bíblico. Um dos grandes propagadores dessa visão é Caio Fábio, que chegou a dizer: "Eu estou em Jesus, eu não estou na Bíblia" (<https://www.youtube.com/watch?v=GuCjSuACYMc>, acesso em 14 de setembro de 2020).
[5] David L. Turner, *Matthew*, Baker Exegetical Commentary of The New Testament (Grand Rapids, MI: Baker Academic, 2008), p. 543.
[6] João Calvino, *Pastorais*, Série de Comentários Bíblicos (São José dos Campos, SP: Fiel, 2009), p. 313.

[7] Yago Martins, *Os sermões dos maricas: A pregação da verdade para homens de mentira* (Niterói, RJ: Concílio, 2019), p. 111, 114.

CAPÍTULO 2

[1] CCVideira Online, "Terça do Encontro com Paulo Vieira 19/04/16" (YouTube), <https://www.youtube.com/watch?v=FhPWdE2ECbM>. Acesso em 7 de janeiro de 2020.

[2] Ícaro de Carvalho, "Por que a indústria do empreendedorismo de palco irá destruir você" (Medium), 2 de fevereiro de 2016, <https://medium.com/o-novo-mercado/porque-a-indústria-do-empreendedorismo-de-palco-irá-destruir-você-3e18309ab47f>. Acesso em 7 de janeiro de 2020.

[3] Pedro Pamplona, "Teologia do *coaching*: a substituta da teologia da prosperidade" (blog), 28 de dezembro de 2016, <https://pamplonapedro.wordpress.com/2016/12/28/teologia-do-coaching-a-substituta-da-teologia-da-prosperidade/>. Acesso em 7 de janeiro de 2020.

[4] Depois de críticas, o vídeo em questão teve seu acesso privado, outrora no seguinte *link*: <https://www.youtube.com/watch?v=HRd33MZev5s>. Apesar de ter sido tirado do ar, nenhuma retratação ao vídeo foi postada em seguida.

[5] Teologia na Íntegra, "Augustus Nicodemos fala sobre Teologia do Coaching" (YouTube), 19 de março de 2017, <https://www.youtube.com/watch?v=zlLGW8sYUls>. Acesso em 7 de janeiro de 2020.

[6] Teologueiros, "Teologia do *coaching* é bíblica?" (YouTube), 20 de julho de 2017, <https://www.youtube.com/watch?v=qUMXC-eFgBI>. Acesso em 7 de janeiro de 2020.

[7] Deive Leonardo, "Importante", (YouTube), 1º de abril de 2019, <https://www.youtube.com/watch?v=sk0i09fYKSM>. Acesso em 7 de janeiro de 2020.

[8] A mensagem original foi removida, mas trechos podem ser encontrados por toda a internet, como em: <https://www.facebook.com/watch/?v=420693202148601>. Acesso em 7 de janeiro de 2020.

[9] Luan Carvalho, "Entenda o papel do *coach* e do psicólogo", *O Povo Online*, 26 de fevereiro de 2018, <https://www20.opovo.com.br/app/

revistas/social/2018/02/26/notrsocial,3681246/os-limites-entre-coach-e-psicologo.shtml>. Acesso em 11 de julho de 2019.

[10] Conselho Federal de Psicologia, "'O outro lado do paraíso' presta um desserviço à população brasileira", 5 de fevereiro de 2018, <https://site.cfp.org.br/o-outro-lado-do-paraiso-presta-desservico-populacao-brasileira/>. Acesso em 11 de julho de 2019.

[11] Byung-Chul Han, *Sociedade do cansaço* (Petrópolis, RJ: Vozes, 2017).

[12] Estadão Conteúdo, "Luccas Neto, 'F*deu Geral': quais foram os livros mais vendidos do Brasil em 2019", *Gazeta do Povo*, 10 de janeiro de 2020, <https://www.gazetadopovo.com.br/cultura/luccas-neto-fdeu-geral-quais-foram-os-livros-mais-vendidos-do-brasil-em-2019/>. Acesso em 11 de julho de 2019.

[13] Han, *Sociedade do cansaço*, p. 29.

[14] Ibid., p. 24.

[15] Comunidade da Fé Church, "Tiago Brunet // Descubra o seu destino" (YouTube), 24 de agosto de 2018, <https://youtu.be/47cPcnl8wY8>. Acesso em 21 de janeiro de 2020.

[16] Quem já ouviu pregadores da teologia do *coaching* vai entender a referência.

[17] David Jones e Russell Woobridge, *Health, Wealth & Happiness: How the Prosperity Gospel Overshadows the Gospel of Christ* (Grand Rapids, MI: Kregel, 2017), p. 17.

[18] Comunidade da Fé Church, "Pablo Marçal // Como gerar riqueza do zero" (YouTube), 18 de outubro de 2019, <https://www.youtube.com/watch?v=SseLDTCh6VU>. Acesso em 22 de janeiro de 2020.

[19] Alan Pieratt, *O evangelho da prosperidade* (São Paulo: Vida Nova, 1993).

[20] Comunidade da Fé Church, "Pablo Marçal // Como gerar riqueza do zero".

[21] Ibid.

[22] Lagoinha USA, "Paulo Vieira - Crie Lagoinha Orlando Church", (YouTube), 15 de janeiro de 2020, <https://www.youtube.com/watch?v=AI6IPn8PWeg>. Acesso em 24 de fevereiro de 2020.

[23] Pieratt, *O evangelho da prosperidade*, p. 61.

[24] Comunidade da Fé Church, "Pablo Marçal // Como gerar riqueza do zero".

[25] Lagoinha USA, "Paulo Vieira - Crie Lagoinha Orlando Church".

[26] Deive Leonardo, "Segunda chance | Deive Leonardo", 16 de julho de 2018, <https://www.youtube.com/watch?v=LH8hxkt7hbQ>. Acesso em 28 de janeiro de 2020.

[27] Victor Azevedo. A mensagem original foi removida, mas trechos podem ser encontrados por toda internet, como em: <https://twitter.com/Peloko_silva/status/1203855029767221249>. Acesso em 28 de janeiro de 2020.

[28] John N. Oswalt, *The Book of Isaiah, Chapters 40—66*, New International Commentary on the Old Testament (Grand Rapids: Eerdmans, 1998), edição Kindle.

[29] Monica Bernardo Schettini Marques, "A religião na complexidade contemporânea: Teologia da Prosperidade, Literatura de Autoajuda, Modernidade", in *37° Encontro Anual da ANPOCS, 37, SPG 11*, 18 de setembro de 2013, <https://anpocs.com/index.php/encontros/papers/37-encontro-anual-da-anpocs/spg-2/spg11-2/8726-teologia-da-prosperidade-literatura-de-autoajuda-modernidade/file>. Acesso em 1º de fevereiro de 2020.

[30] John S. Haller Jr., *The History of New Thought: From Mind Cure to Positive Thinking and the Prosperity Gospel* (West Chester, PA: Swedenborg Foundation Press, 2012), p. 3.

[31] Jones e Woobridge, *Health, Wealth & Happiness*, p. 24.

[32] Citado em Jones e Woobridge, *Health, Wealth & Happiness*, p. 25.

[33] Jones e Woobridge, Healt, Wealth & Happiness, p. 24-37.

[34] Ibid., p. 33.

[35] Marques, "A religião na complexidade contemporânea".

[36] Haller, *The History of New Thought*, p. 4.

[37] Comunidade da Fé Church, "Pablo Marçal // Como gerar riqueza do zero".

[38] Marques, "A religião na complexidade contemporânea".

CAPÍTULO 3

[1] Alister McGrath, *Heresia: Uma história em defesa da verdade* (São Paulo: Hagnos, 2014), p. 40.

[2] Ibid., p. 42.

[3] Ibid.

[4] Agostinho, *A Trindade* (São Paulo: Paulus, 1995), p. 247.

[5] Ibid., p. 196.

[6] Ibid., p. 284.

[7] Ibid., p. 521-534.

[8] Richard of Saint Victor, *On The Trinity* (Cambridge: James Clark & Co, 2012), p. 116.

[9] Ibid.

[10] Ibid., p. 117.

[11] Ver Roque Albuquerque e Fares Furtado, *A soberania humana e o livre-arbítrio de Deus: Reconciliando nossa escolha com a soberania divina* (Brasília, DF: Editora 371, 2020).

[12] Tim Challies, "Hyper-calvinism: A brief definition", 28 de junho de 2007, <https://www.challies.com/articles/hyper-calvinism-a-brief-definition/>. Acesso em 8 de março de 2020.

[13] Albuquerque e Furtado, A *soberania humana e o livre-arbítrio de Deus*, p. 81.

[14] Citado em Albuquerque e Furtado, *A soberania humana e o livre--arbítrio de Deus*, p. 81.

[15] John M. Frame, *A doutrina de Deus* (São Paulo: Cultura Cristã, 2013), p. 52.

[16] Ibid., p. 53.

[17] D. A. Carson, *Soberania divina e responsabilidade humana: Perspectivas bíblicas em tensão* (São Paulo: Vida Nova, 2019), p. 16.

[18] Aqui: <https://www.instagram.com/p/B2OtJ8MDyCo/?utm_source=ig_web_copy_link>.

[19] Michael L. Brown, *Hyper-Grace: Exposing the Dangers of the Modern Grace Message* (Lake Mary, FL: Charisma House, 2014), p. 28.

[20] Ibid., p. 29.

[21] John Crowder, *Mystical Union* (Santa Cruz: Sons of Thunder, 2010), p. 17, citado em Brown, *Hyper-Grace*, p. 30.
[22] Brown, *Hyper-Grace*, p. 39.
[23] Ibid., p. 73.
[24] Ibid., p. 90.
[25] Crowder, *Mystical Union*, p. 17, citado em Brown, *Hyper-Grace*, p. 150.
[26] Brown, *Hyper-Grace*, p. 149.
[27] Ibid., p. 150.
[28] Ver Dietrich Bonhoeffer, *Discipulado* (São Paulo: Mundo Cristão, 2016).

CAPÍTULO 8

[1] Devemos ter cuidado para não inserir uma carga filosófica muito grande na semântica de φρονέω. A análise sincrônica da palavra, especialmente o contexto e o co-texto de como ela aparece na carta, deve ter prioridade em relação à análise diacrônica, como aquelas que analisam a semântica da palavra em como ela apareceu nas literaturas filosóficas do grego clássico.
[2] Gordon D. Fee, *Philippians*, The IVP New Testament Commentary Series (Downers Grove, IL: InterVarsity Press, 1999), p. 134.
[3] Martin Luther, *Luther's Works: Vol. 27, Lectures on Galatians 1535, Chapters 5—6; Lectures on Galatians 1519, Chapter 1—6,* editado e traduzido por Jaroslav Pelikan (St. Louis, MO: Concordia Publishing House, 1964), p. 25.

Sobre os autores

Yago Martins é mestre em Teologia Sistemática pelo Instituto Aubrey Clark, bacharel em Teologia pela Faculdade Teológica Sul Americana, pós-graduado em Escola Austríaca de Economia pelo Centro Universitário Ítalo Brasileiro e pós-graduado em Neurociência e Psicologia aplicada pela Universidade Presbiteriana Mackenzie. Autor de outros dezesseis livros, é pastor na Igreja Batista Maanaim, em Fortaleza, e trabalha desde 2009 com evangelismo de estudantes secundaristas e universitários na Missão GAP, sendo presidente do conselho diretor desde 2016. Atuante na popularização de teologia na internet, apresenta o canal Dois Dedos de Teologia no YouTube. É casado com Isa Martins e pai de Catarina e Bernardo.

Pedro Pamplona é graduado em Administração de Empresas pelo Centro Universitário Sete de Setembro, possui especialização em Estudos Teológicos pelo Centro Presbiteriano Andrew Jumper e é mestre em Teologia Sistemática pelo Instituto Aubrey Clark. É pastor da Igreja Batista Filadélfia, em Fortaleza, apresentador do *podcast* Biblioteca Pamplona e professor do curso Teologia e Leitura Inteligente. É casado com Laryssa e pai de Davi, Ester e Isabel.

Guilherme Nunes é formado em Teologia no Seminário e Instituto Bíblico Maranata (SIBIMA) e mestrando em Teologia Sistemática pelo Instituto Aubrey Clark. É professor de Novo Testamento no Centro de Pós-Graduação Jonathan Edwards e na Escola Convergência.